HET CIJFER ZEVEN

Chaim Potok

Het cijfer zeven

verhalen

Vertaald door Peter Sollet en Jeanette Bos

Uitgeverij BZZTôH
's-Gravenhage, 1990

Deze bundel werd speciaal samengesteld ter gelegenheid van het 20-jarig bestaan van uitgeverij BZZTôH
op 24 februari 1990

Met dank aan de auteur

© Copyright 1964, 1966, 1967, 1981[(2)], 1982, 1986, 1989,
  by Chaim Potok
© Copyright Nederlandse vertaling,
  Uitgeverij BZZTôH, 's-Gravenhage, 1990
Foto omslag: Andreas Feininger
Ontwerp omslag: Tokkio Synd.
Foto binnenwerk: Peter Senteur (GPD)
Zetwerk: No lo sé prod.
Drukwerk: Tulp, Zwolle
Bindwerk: Pfaff, Woerden

ISBN 90 6291 523 X

CIP-GEGEVENS KONINKLIJKE BIBLIOTHEEK, DEN
HAAG

Potok, Chaim

Het cijfer zeven : verhalen / Chaim Potok ; [vert. uit het Engels
door Jeanette Bos ... et al.]. 's-Gravenhage : BZZTôH
ISBN 90-6291-523-X
UDC 82-32 NUGI 301
Trefw.: verhalen ; vertaald.

Inhoudsopgave

Woord vooraf

In onze vroegste jaren is een subtiele goedkeuring vaak de enige aanmoediging die ons ter ore komt; we klampen ons er aan vast als was het een reddingslijn en trachten onszelf naar licht en lucht te trekken. Op achttienjarige leeftijd: een bemoedigende brief van een redacteur van *The Atlantic Monthly*. Toen ik negentien was, en nadat ik een verhaal had opgestuurd naar *Esquire*: een brief van een redacteur die een afspraak wilde maken. En de vriendelijke aandrang van een Engelse professor. En een verhaal dat voor publicatie werd geaccepteerd door het literaire tijdschrift van mijn universiteit. Vitale verbindingslijnen - dun en ver van elkaar, maar toch voldoende om jarenlang op te teren, als het je ernst is schrijver te worden.

'Zonder de liefde en het geloof die ik van mijn familie mocht ontvangen, was ik überhaupt geen schrijfster geworden,' schreef Eudora Welty, auteur uit de zuidelijke staten van de U.S.A., in haar woord vooraf bij een prachtige bundel met haar verhalen. Welnu, in mijn eigen directe en zeer religieuze wereld van vroeger waren er maar weinigen die mij als schrijver hebben aangemoedigd. Een schrijver? Van verhalen? Hoe frivool! Wat een verspilling van kostbare tijd! Sommigen zagen het zelfs als een bedreiging voor de rust in de gemeenschap: waren schrijvers immers niet altijd secularisten, linksen, nihilisten? Net als de Ierse schrijver Frank O'Connor fantaseerde ik in mijn jonge jaren meer dan dat ik beleefde. Ik leefde 'half in en half buiten de droom' en zag vrijwel alles 'door de sluier van de literatuur.' En maar zeer weinigen in mijn wereld durfden deze eigenschap in een van hun zonen aan te moedigen.

Maar waar staat geschreven dat het begin van een schrijverscarrière gladjes moet verlopen? Natuurlijk, het tegendeel beweren is welhaast een cliché. En er schuilt geen geringe kern van waarheid in de opmerking dat een gemakkelijk begin slechts bloedeloos werk, literatuur van wittebrood, oplevert. Of dat een moeilijke start ons geschriften brengt die rijk geschakeerd zijn, gelaagd, vol spanning, een onzeker zoeken naar een persoonlijke visie op de wereld, het soort literatuur dat lijkt op volkorenbrood, waarin de korrel op de tong en tussen de tanden geproefd kan worden.

Een schrijver van verhalen is een tussenpersoon. Nooit helemaal in één enkele tijd of op één enkele plaats. Een ternauwernood gedoogde voyeur: zichzelf beschouwend in de werelden waardoorheen hij ooit is gereisd en nog steeds reist, trachtend de reis in woorden vorm te geven, zodat hij, en wellicht ook iemand anders, weer een volgend stukje van de menselijke ervaring begrijpt. Een kamer, een bureau, een pen, en papier; een verre of nabije realiteit; en de verbeelding. De schrijver als bemiddelaar: van het verleden naar het heden, en weer terug naar het verleden, van werkelijkheid naar verbeelding naar werkelijkheid. Geleid door fijne, trillende voelsprieten, die intuïtie heten. Bekend met echo's en verschijningen, visioenen en dromen, wensen en fantasieën; maar ook met de grimmige, ijzeren actualiteit. Wijzigen, kneden, vormgeven, transformeren: het versmelten van de werkelijkheid en de verbeelding tot één enkele vorm van *geschreven energie*: woorden die worden *gevoeld*, beelden die *drukken* op de oogbol. De schrijver beschouwt het van een afstand, *maar maakt er tegelijkertijd deel van uit*.

De schrijver ervaart zichzelf voortdurend als een weifelende en bemiddelende tussenpersoon; of hij nu een roman of een verhaal schrijft, dat maakt vrijwel geen verschil. Maar een roman is een marathon. Een verhaal is een sprint, een duik, een sprong in het diepe - elk foutje kan fataal zijn.

De verhalen in deze bundel zijn over een periode van ongeveer vijfentwintig jaar geschreven. Op keukentafels, in treinen en vliegtuigen, op hotelkamers, en in de rust van mijn studeerkamer. Vele zijn ten minste een keer of zes geschreven; andere nog vaker; eentje tweeëntwintig keer.

De diverse plaatsen van handeling variëren van New York tot Pennsylvania, van Schotland tot Jeruzalem. Ze halen steeds voor het eerst adem in de werkelijke wereld, maar dan neemt de verbeelding de touwtjes van de werkelijkheid over, en begint haar eigen patronen te weven.

U moet deze verhalen lezen als een weefsel van het werkelijke en het verbeelde. Verbeelding is voor een verhaal wat desem is voor deeg, een hoeksteen voor een bouwwerk. Het is wat aan een verhaal de basis, het vermogen om vrij en onafhankelijk op zichzelf te staan, die unieke energie geeft.

Voor het eerst verschijnen deze verhalen samen in één bundel. Momenteel bestaat deze uitgave in geen andere taal dan in het Nederlands.

Ik wil de heren Phil Muysson en Bert ter Horst van BZZTôH bedanken voor het feit, dat zij mij hebben overgehaald om deze bundel samen te stellen. Het doet me dan ook bijzonder veel genoegen dat dit boek verschijnt ter ere van het twintigjarig bestaan van uitgeverij BZZTôH.

Chaim Potok   januari 1990
Merion, Pennsylvania
U.S.A.

9

Culturele confrontaties in Amerikaanse steden: de bron van mijn schrijverschap

Een autobiografische schets

De Bronx in de jaren dertig en veertig was mijn Mississippi, mijn voedingsbodem. Zeker, ik heb er armoede en wanhoop gezien en tot op de dag van vandaag zie ik de asgrauwe bleekheid op mijn vaders gezicht voor me, toen hij ons die avond, eind jaren dertig, vertelde dat we naar de steun moesten. En, zeker, de straten werden bij gelegenheid verduisterd door het geweld van bendes en door de haat die de oversteek vanuit de antisemitische onderbuik van Europa had gemaakt. Maar ik had mijn boeken, mijn lessen en mijn leraren; ik had vrienden met wie ik straatspelletjes verzon die slechts werden beperkt door de grenzen van ons voorstellingsvermogen. En herhaaldelijk reisde ik in mijn eentje over de drukke trottoirs en door de geplaveide achtertuintjes, als een tocht op een betonnen en geasfalteerde Mississippi. Ik reisde door de gangen van bakstenen huurkazernes, door verstilde openbare bibliotheken, donkere cinema's, snoepwinkels, kruideniers, Chinese wasserettes, Italiaanse schoenmakerijen, de Ierse, Italiaanse, zwarte en Poolse buurten - reizen die werden ingegeven door een gretige nieuwsgierigheid en een honger om mijzelf, mijn plaats in deze turbulente wereld, te ontdekken. Ik was een zeeman op straat, blind varend op mijn eigen twee benen, als op een vlot.

Ik had weinig problemen met mijn joodse wereld. Ik zat er middenin, met een langzaam groeiend besef van haar eigen culturele rijkdom en tekortkomingen. Maar vóór de kleine Hannibal van onze flat lag een verlokkende wereld die hij dolgraag wilde omarmen; deze wereld overspoelde me, en haar boeken, films en muziek prikkelden niet alleen de geest, maar ook de zintuigen. Zacht geurend naar mogelijke zwakheden van het vlees en verduisterd door het schrikbeeld van onderwerping door assimilatie, leek zij tegelijkertijd beloftes gestand te doen van wereldse wijsheid, van verdraagzaamheid, van beloning naar verdienste en inspanning, en van de meest dierbare aller beloftes: de creatie van de grote geesten der mensheid.

Ik was een van de vele miljoenen die deze tocht over de betonnen Mississippi maakte. Wij waren de kinderen en kleinkinderen van de laatste grote volksverhuizers van onze soort op deze planeet, de oost-west tocht van de angstigen, de vervolgden, de hongerigen, de armen, de zoekers naar nieuwe rijkdom en macht - de trek vanuit Europa van rond de eeuwwisseling die dit land overspoelde. De immigrantengeneratie overviel de Amerikaanse steden. Vaak denk ik dat onze ouders en grootouders, toen ze zagen hoe het verstedelijkte Amerika ons met zijn verlokkingen trachtte in te palmen, zich ongetwijfeld moeten hebben afgevraagd of ze er wel verstandig aan hadden gedaan hun land te verlaten, ook al was het er nog zo troosteloos en onderdrukkend geweest. Wie zijn kind verliest aan een onbekende cultuur gaat een leven lang gebukt onder een smartelijk lijden.

Op mijn zwerftochten door deze verstedelijkte wereld uit mijn jonge jaren, kwam ik overal de paraplubeschaving tegen waarin wij allen heden ten dage leven, de cultuur die we het westers seculiere humanisme noemen. Zij is westers, omdat zij vrijwel alleen aan deze zijde van de planeet bestaat; de oostelijke kant vaart een geheel eigen koers. Zij is seculier, omdat er fundamenteel geen beroep wordt gedaan op het goddelijke; er wordt vanuit gegaan dat de mens het op eigen kracht moet zien te redden, dat hij het anders zeker niet redt. Geen goden, geen God, geen bemoedigende Waarheden en Absoluutheden; slechts de strompelende, struikelende mens, voorlopige waarheden, en een onverschillige kosmos waarin die mens, ook al is hij nog zo'n nietig stipje in het geheel, leeft en droomt en betekenis in het universum pompt. En het is een humanistische cultuur vanwege de opvattingen omtrent het individu, het zelf, niet als lid van een gemeenschap, maar als een op zichzelf staande entiteit die ernaar hongert om tijdens de enige kans die hem op deze planeet geboden wordt, zijn mogelijkheden te ontplooien. Ik kwam veel van de culturen tegen die onder deze paraplubeschaving hun plaats hadden, variëteiten van het joden- en christendom, etnische groepen, belangengroepen. Ik zag hoe elk van deze subculturen op gespannen voet stond met de andere, maar ook met de paraplubeschaving. In de wereld van het verstedelijkte Amerika zijn deze wrijvingen krachtig, irritant en meedogenloos. In het ideale geval werkt de paraplubeschaving als een beschermende overkoepeling die alle subculturen in bedwang houdt en voorkomt dat een van hen zo machtig wordt dat ze een bedreiging gaat vormen voor het voortbestaan van de andere. Deze paraplu is ragfijn en teer. Wanneer hij niet functioneert - en dat doet hij te vaak - ontstaan straatrellen, zoals toen ik een tiener was en de stad werd verduisterd door de woede van de mensen die toen het slachtoffer waren.

In de Amerikaanse stadsbibliotheken heb ik geleerd dat een cultuur op een voor ons nog steeds mysterieuze wijze ontstaat, wanneer soortgenoten van ons op de een of andere wijze een groep vormen - uit verstandelijke of geografische overwegingen, uit stammentrouw of tijdens rampspoed - en hun eigen unieke antwoord geven op de vragen die we doorgaans tijdens onze drukke bezigheden verdringen, de vier-uur-in-de-ochtend vragen die ons soms midden in de nacht met een schok doen ontwaken. We liggen in het donker te luisteren naar de vragen die om ons heen zoemen. Waar gaat het allemaal écht om? Heeft wat ik ook doe ook maar enige betekenis? Hoe kan ik ooit de hoop koesteren, het ontzagwekkende universum waarin ik leef te doorgronden? Ik begrijp mezelf niet eens, hoe kan ik dan een ander menselijk wezen begrijpen? Wat is dit voor smalle lichtbundel waarop ik dwaal, ergens tussen het duister van waaruit ik kwam en het duister waarheen ik onverbiddelijk op weg ben? Culturen leveren solide antwoorden op deze vragen. En van degenen die zich achter deze antwoorden scharen, wordt soms zelf gevraagd, deze met hun leven te verdedigen. Vaak botsen verschillende reeksen antwoorden - als gevolg van legers in het veld, kooplieden op markten, geleerden in bibliotheken, of de zwerftochten van een kind door de stad. Deze botsing roept vragen op en brengt spanning teweeg: Waarom zijn mijn antwoorden beter dan die van een andere cultuur? Soms loopt de spanning uit de hand, met als gevolg bloedvergieten. Soms is creativiteit het gevolg - boeken, muziek, beeldende kunst - en treffen we een onuitputtelijke goudmijn aan. Sumeriërs en Akkadiërs, Israëlieten en Kanaänieten, het jodendom en het hellenisme, het christendom en Rome, de islam en het denken van de oude Grieken, het christendom en het jodendom - en het denken van de oude Grieken: deze aanvaringen tussen grote denksystemen en leefwijzen waren culturele confrontaties.

Toen ik opgroeide leerde ik, dat culturele confrontaties gedurende de vijfduizend jaar, waarin we ons spoor terug middels geschriften kunnen volgen, een van de ononderbroken processen binnen onze soort is. Nu is dat proces in het westen de confrontatie tussen de paraplu en de subculturen. De opeenvolging van confrontaties is deze eeuw toegenomen. De cultuursnelwegen staan helemaal open. Het verkeer is druk, in het bijzonder in de steden. Het andere woord voor 'beschaving', 'civilisatie' - het kan geen kwaad om het ons weer eens te herinneren - stamt van het Latijnse *civitas*, wat stad of stad-staat betekent.

Degene die deze stadsreis hebben ondernomen zijn op

tal van manieren met andere culturen in aanraking gekomen. Ik zal kort een van deze confrontaties beschrijven - die van mijzelf.

Volgens de joodse traditie is het schrijven van verhalen volstrekt onbelangrijk in de hiërarchie van waarden, waarop men baseert wat iemand heeft bereikt. Geleerdheid - in het bijzonder geleerdheid met betrekking tot de Talmoed - is de maat voor het individu. Romans, zelfs serieuze romans, zijn - voor wat de joodse traditie betreft - in het gunstigste geval een frivoliteit, in het ergste geval een bedreiging.

Toen ik ongeveer veertien, vijftien jaar oud was, las ik *Terug naar Brideshead* van Evelyn Waugh. Het was de eerste echte, volwassen roman die ik las. Op de middelbare school las je voor de lessen Engels boeken als *Schateiland* en *Ivanhoe*. Ik was helemaal ondersteboven van dat boek. Op de een of andere wijze overbrugde Evelyn Waugh in zijn boek de kloof tussen mijn hechte Newyorkse joodse wereld en die van de welgestelde Britse katholieken. Ik herinner me nog dat toen ik het boek uit had, ik me verwonderde over de kracht van deze vorm van creativiteit. Zo heeft elk van ons zijn eigen oorsprong van die verhitte waanzin, die het schrijven van romans heet.

Vanaf die periode lees ik niet alleen voor mijn plezier literaire werken, maar bestudeer ze ook met Talmoedische nauwgezetheid, om te leren hoe je werelden uit louter op papier gezette woorden kunt scheppen. Tijdens de ochtenden op mijn school bestudeerde ik heilige onderwerpen uit mijn religieuze achtergrond; gedurende de middagen zat ik te studeren op seculiere onderwerpen uit onze paraplubeschaving; 's avonds en in de weekeinden las en schreef ik verhalen. De grote schrijvers die de moderne literatuur hebben vormgegeven werden mijn leermeesters.

De jaren verstreken.

Ik ontdekte na verloop van tijd dat ik een andere traditie was binnengegaan - de moderne literatuur. Het hebben van een bepaald wereldbeeld was heel fundamenteel voor deze traditie; en hieraan lag weer de scherpe visie van de iconoclast ten grondslag, het individu dat opgroeit temidden van overgeleverde waardesystemen en tijdens zijn groeiproces terugdeinst voor de spelletjes, de maskers en de hypocrisie die hij overal om zich heen ziet. Ongeveer driehonderd jaar geleden begonnen bepaalde schrijvers aan deze zijde van de planeet zich te bedienen van een van de oudste communicatiemiddelen die onze soort kent - het vertellen van verhalen - om te onderzoeken hoe precies de verbindingen lopen tussen aan de ene kant het individu, en aan de andere kant de samenlevingen, de soms kleine, soms grote samenhangende werelden waarmee deze individuen op gespannen voet waren komen te staan. De tegenstelling tussen individu en samenleving op de spits gedreven - het is een van de machtige rivieren in het landschap van de moderne literatuur. Soms is de wereld van dit individu nietig en welwillend, zoals bij Jane Austen; soms is hij wreed en emotioneel, zoals bij Dickens; soms stagneert hij en is in verval, zoals bij Joyce en Thomas Mann; soms is hij ijzig en niets ontziend, zoals bij de vroege Hemingway. Dat zag ik in de romans die ik las gedurende mijn middelbare schooltijd en de jaren op de universiteit in die overvolle, stadse, Newyorkse wereld.

Al snel kreeg ik door dat er voor de serieuze romanschrijver niets heilig was; niets was een dusdanig onaantastbare erfenis uit het verleden, dat het niet kon worden ontsloten, er niet met de pen van een romancier in kon worden gepord. Iemand die uit een oude traditie stamt, trekt met bagage de wereld in. Als niemand gedurende de tijd dat je opgroeit je privéwereldje op een onomkeerbare wijze heeft verpest - ouders, onderwijzers en leraren hebben je met geduld en liefde geholpen bij je problemen - dan kom je wellicht uit je subcultuur met waardering voor haar rijkheid, haar klinkende historie, en verlang je ernaar het hoofd te kunnen bieden aan haar tekortkomingen. En als je ook nog, in de jaren van toenemende loyaliteit jegens je eigen verleden, kennis hebt gemaakt met de moderne literatuur, dan ontdek je tegen de tijd dat je negentien, twintig bent, dat je het slagveld voor een zeer bepaalde culturele confrontatie bent geworden. Ik noem dit de essentiële confrontatie, de culturele kernconfrontatie. Vanuit het hart van je eigen subcultuur, opgeleid op haar beste scholen, in staat door haar denksysteem te manoeuvreren, door haar taal, haar visie op de wereld, ben je met de literatuur in aanraking gekomen, een kernelement van de paraplubeschaving waarin we nu allen leven. Literatuur is een essentiële inspanning van de westerse, seculiere mens; het is een van de manieren waarop de westerse, seculiere mens vorm geeft aan zijn ervaringen - door middel van zijn voorstellingsvermogen en een esthetische stijl. In de geschiedenis van onze soort hebben culturele kernconfrontaties dikwijls creatieve explosies tot gevolg gehad. Een ontmoeting met verheven, onbekende ideeën zet ons wel vaker aan tot eigen verheven ideeën; of we raken betrokken bij het proces van selectieve attractiviteit, wanneer we elementen in het onbekende denksysteem ontdekken, waarvan we vinden dat we ze tot de onze moeten maken. Er zijn weinig ervaringen in de geschiedenis van onze soort die zo bijzonder zijn als deze culturele confrontaties, waarin de ene cultuur een andere aanzet tot een nieuwe, oorspronkelijke creativiteit.

Ik heb niet het voornemen een roman te schrijven over mijn kennismaking met de roman. Maar sommigen die in dezelfde tijd als ik opgroeiden, hebben wellicht andere elementen van de kern van het westerse seculiere humanisme op hun weg aangetroffen. En daarover gaat al mijn werk tot nog toe. In *Uitverkoren* maakt Danny Saunders kennis met de Freudiaanse psychoanalytische therapie; in *De belofte* maakt Reuven Malter kennis met tekstverklaring; in *Mijn naam is Asjer Lev* ontmoet een jongeman de westerse schilderkunst; in *In den beginne* maakt David Lurie kennis met de hedendaagse bijbeluitleg. Al deze disciplines behoren tot de kern, de essentie van de westerse cultuur. En al mijn personages staan in het hart van hun subcultuur.

Je kunt opgegroeid zijn aan de rand, de periferie van je subcultuur, en het rijke hart van het westerse seculiere humanisme betreden - laten we zeggen, door naar de universiteit te gaan, die fabriek van westerse seculiere beschaving. Dan maak je een culturele periferie-tot-kern-confrontatie door. Saul Bellows *Herzog* gaat over een dergelijke confrontatie: Herzog die middenin het westerse seculiere humanisme staat, ervaart de crisis van onze wereld en zijn eigen leven via zijn perifere, maar roerende verbondenheid met zijn subcultuur, zijn herinneringen uit een etnisch verleden.

Je kunt in de periferie van je subcultuur opgroeien en alleen de randverschijnselen van de westerse beschaving ervaren. Dat is een culturele periferie-tot-periferie-confrontatie. De vroege verhalen van Philip Roth doen verslag van dit soort culturele botsingen. Dit soort culturele confrontaties geeft vrijwel steeds aanleiding tot culturele aberraties, gênante misverstanden en bizarre mengelingen.

In het hart van een cultuur staat haar wereldbeeld, haar literatuur, beeldende kunst en muziek, haar specifieke ideeën over de wereld. Hoe moeilijker het wordt een vreemde cultuur binnen te treden, des te dichter raak je aan haar kern. Randverschijnselen van een cultuur - de taal op straat, het eten, de kleding, haar populaire muziek, het bijgeloof - zijn vrijwel steeds de elementen die het gemakkelijkst zijn te begrijpen, na te bootsen, op te nemen.

Ik schrijf over een subcultuur in het bijzonder, over mensen en gebeurtenissen die een bijzondere betekenis voor me hebben gehad toen ik opgroeide en mijn tocht op de Mississippi, de wereld in, een aanvang nam. De compactheid van het bestaan in de stad, de levendige mengeling van volkeren en culturen in mijn Bronx-wereld maakten het mogelijk dat ik een grote verscheidenheid aan culturele confrontaties kon aangaan. Ik heb ervoor gekozen, kernconfrontaties te beschrijven, want dat is de wereld die ik het beste ken.

Wat gebeurt er wanneer je in jezelf twee zaken verenigd, waar je je uitermate sterk bij betrokken voelt en die je zeer na aan het hart liggen - een uit je subcultuur, de andere uit de paraplucultuur - en die volledig met elkaar in tegenspraak zijn? Een dergelijke botsing van twee evenwaardige waardensystemen heeft de dimensie van een Griekse tragedie. Hoe moet je je dan opstellen? Hoe praat je dan aan de telefoon, hoe ga je naar school, maak je een treinreis, steek je een straat over, volg je je lessen, gedraag je je tegenover anderen, praat je tegen je ouders en vrienden, maak je een afspraakje, lees je geschriften? Waar droom je van? Waar hou je van, en wat haat je? Ik schrijf over de gevoelens die een rol spelen bij een culturele kernconfrontatie.

Stadsomzwervingen die een culturele kernconfrontatie tot gevolg hebben vormen dikwijls een bepaald soort individu, die ik een *Zwischenmensch*, een tussenmens noem. Een dergelijk individu overschrijdt de grenzen van zijn of haar eigen cultuur en omarmt die elementen van onbekende werelden die het leven versterken. Ik herinner me de kaalhoofdige Italiaanse schoenmaker met het rozige gezicht, die altijd stond te zingen met

21

zijn tenorstem terwijl hij op mijn kapotte schoenen stond te hameren. Hij leerde me het woord 'opera'. Dat was voor mij het begin van een passie. Vanaf die tijd luisterde ik altijd gespannen naar het klassieke radiostation. Kunt u zich voorstellen, hoe ver de turbulente wereld van de opera staat van het op de geest gerichte milieu van de Talmoedische discussie?

Op een keer liep tegen het einde van de lente een slordig uitziende man de school in mijn gemeente binnen. Hij was kunstenaar, zei hij, en wilde wel, voor een schijntje, een zomercursus schilderen geven. Het zou de kinderen van de straat houden, zei hij; het zou hen iets om handen geven. Hij was achter in de veertig, een vermoeide man die sterk naar tabak rook, met waterige ogen, versleten manchetten aan zijn overhemd, gekreukt jasje en dito broek. Hij zag er afgemat, bekaf uit. Om een onverklaarbare reden werd hij aangenomen. Met zijn zestienen volgden we zijn lessen. Ik was toen tien jaar oud. Op een dag keek hij toe hoe ik de kleuren op het doek aanbracht, en nam me apart. 'Hoe oud ben jij, knul?' vroeg hij. 'Van wie heb jij les gehad?' Dat was mijn eerste stap in de wereld van de westerse schilderkunst. Wat Joyce was voor de Jezuïeten, was in mijn jeugd schilderen voor de Talmoed.

Een *Zwischenmensch* te zijn betekent je tegelijkertijd overal en nergens thuis te voelen, met argwaan bekeken te worden door degenen op de oevers, wanneer je op je vlot voorbij drijft.

Mijn Mississippi heeft geen monding, geen delta. Hij stroomt steeds maar verder. We zijn het meest menselijk wanneer we op creatieve wijze communiceren via de Hannibals die we voor onszelf maken. Zeker, het vlot is kwetsbaar. Alles dat door de mens tot stand wordt gebracht lijkt kwetsbaar en teer - alles. Elke nieuwe dag, met zijn zon en zijn hemel, is breekbaar, teer. Toch herinneren we ons de tochten die lang geleden zijn begonnen op de betonnen rivieren van de Amerikaanse steden. Verschillende steden koken in elk van ons. Er is zoveel waar we de pest aan hebben - het vuil, de armoede, vooroordelen; er is zoveel waar we van houden - een enkele vriendschap die op de een of andere wijze grenzen heeft overschreden, de bibliotheken waar we opgingen in de dromen van anderen, de plaatsen waar we onze eigen dromen samenstelden, de musea waar we leerden hoe je de tijd kunt overwinnen, bepaalde straten, steegjes, trappen, daken van huurkazernes, bepaalde radiostations waarnaar we tot 's avonds laat luisterden, bepaalde kranten die we lazen alsof er eeuwige waarheden in stonden. We herinneren ons de verschrikkingen en het geluk van onze vroege dwaaltochten door de stad. Wij schrijven, en reizen verder.

Bespiegelingen over een straat in de Bronx

De bakkerij in de kelder is er nog steeds, weggestopt in de grond onder stalen deuren in het trottoir. Negers met lange mutsen laten meelbalen van een plank glijden, aan de zijkant van een vrachtwagen die tegen de stoeprand staat geparkeerd. De balen schuiven de plank af en verdwijnen tussen de openstaande stalen deuren, net als toen ik een kind was. De mannen zweten in de middagzon, hun donkere gezichten vol spookachtig witte vlekken van het meel.

Op de hoek ligt, pal in de zon, de kruidenierswinkel waar we tijdens de Depressie op de pof kochten. De toenmalige eigenaar was een verlegen mannetje, een jood die werd gekweld door bergen aan schulden en molshoopjes aan contanten, die naar achterstallige betalingen vroeg met de terughoudendheid van een heilige die een naaktrevue bezoekt. De schappen waren altijd mondjesmaat gevuld. Open zakken met limabonen, snijbonen, suiker, aardappels, uien, erwten en kandij stonden op de met zaagsel bestrooide vloer als dikke, ineengezakte dwergen tegen de toonbank geleund. De winkel ademde een merkwaardige, typische geur die me tegemoet kwam telkens wanneer ik de groene winkeldeur opende - een ondefinieerbare geur, bijna als die van vers, geurig hout na een zware regenbui. Zowel de winkel als zijn eigenaar zag ik altijd als toonbeelden van tekortkomingen.

Nu liggen de schappen vol, en glimmen in de etalage opvallende borden met daarop de dagprijzen. Het zaagsel is verdwenen, net als de geur en de openstaande zakken. De vloer is nu betegeld en keurig geschrobd. Een zwarte vrouw staat achter een glimmend witte toonbank te wachten op zwarte klanten.

Drie deuren verder dan de vijf verdiepingen tellende, bakstenen huurkazerne waar ik bijna tien jaar heb gewoond ligt de snoepwinkel. Aan die zaak lijkt niets te zijn veranderd, behalve de prijzen. Het is er nog even smal en slecht verlicht, de krukken zijn nog steeds te hoog voor de toonbank. De kranten in het stalletje buiten worden tegen de warme stadswind op hun plaats gehouden door zwarte metalen gewichten; de hoogste stapel kranten is die van het *Amsterdam News*. Op het uithangbord erboven staat *Coca Cola*, en ik herinner me nog welke uitwerking dit bord had op de jongen met twee stuivers in zijn hand, op pad om de hele wereld leeg te kopen.

Nu zitten twee zwarte kinderen op de te hoge krukken boven een kartonnen bekertje met een rietje gebogen. Een van hen zit op de kruk aan het eind van de toonbank, mijn favoriete plaats toen *ik* aan het rietje zoog, na afstand te hebben gedaan van mijn twee kostbare stuivers. Achter de toonbank staat een oude, witharige neger de moutmachine te poetsen.

De wasserij is er nog steeds, evenals de slagerij. Maar nu zoeken donkere gezichten het wasgoed uit, en het kosjere vlees heeft plaats gemaakt voor enorme hammen die aan haken in de etalage hangen.

Aan de overzijde van de straat ligt het met het kabaal van zwarte kinderen gevulde schoolplein er keurig netjes bij. De zijstraten zijn smal en het is er drukkend vanwege de warme nazomer. Een blok verderop loopt nog steeds de luchtspoorweg van de Third Avenue, die bijna tien jaar lang elke drie minuten van mijn leven met donderend geraas langskwam. De spoorbaan en de pijlers wierpen lange, grillige schaduwen op de brede straat.

De winkels, de huizen, de straten, ze waren nu al meer dan twintig jaar intact gebleven. En de luchtspoorweg is nog steeds het donkere dak van staal en hout dat het beton en het asfalt van de straat eronder tegen de zon beschut.

De mensen zijn zwart.

Een verlamde oude vrouw zit in de schaduw van een

gebouw in een stoel en kijkt hoe kinderen met een bal spelen. Haar handen beven als ze over de voorkant van haar zomerjurk bewegen. Dan vallen ze op haar schoot en blijven voor een ogenblik als stille, opstandige staken roerloos liggen, terwijl haar ogen de behendig om de grote rubberen bal dansende kinderen volgen. Oudere joodse vrouwen zaten vroeger net zo naar mij te kijken. Nu waren de oude mensen zwart. En de kinderen waren ook zwart. Alleen de bal was wit.

Twee negers staan bij de slagerij in de schaduw te praten en te lachen. Bij die slager had mijn vader me ooit publiekelijk een aframmeling gegeven, omdat ik een doosje nootjes uit een kraampje in de Bathgate Avenue had gestolen. Ik had aan een vriendje willen laten zien hoe flink ik wel was. In plaats daarvan liet mijn vader zien hoe klein ik nog was. Ik betaalde de nootjes met mijn excuses en een behoorlijk aantal stuivers. De twee negers lachen luid en lopen, nog steeds pratend, de zon in.

Op de hoek van de straat vlakbij de kruidenierswinkel waar ik ooit een kwelgeest zo hard tegen zijn schenen had getrapt dat je het bot kon zien, wiegt een jonge, zwarte moeder haar kind in zijn wagen. Ze staat in het hete witte zonlicht als een door het lichaam achtergelaten schaduw.

Sommige stukken van de lange straat roepen herinneringen bij me wakker: vier stoeptegels bij de snoepwinkel waren het slagveld geweest tijdens een van de tochten van Flash Gordon; aan de lantaarnpaal op de hoek gebonden werd Terry gemarteld door de Drakenvrouw; Dick Tracy doodde de Onzichtbare voor het raam van de wasserette; en bij het krantenstalletje had Jack Armstrong herhaaldelijk bewezen, Amerika's lieveling te zijn.

De straat is nu als een zuidelijk stadje, futloos door de

zomerzon. Ik vraag me af waar de door Faulkner beschreven mensen zijn.

Het blok had joden en Italianen gehuisvest, die op de een of andere wijze de Depressie probeerden te overleven en hun kinderen groot te brengen. Langs de zijstraten tegenover de openbare school had de gehavende, uit gele steen opgetrokken school van de joodse gemeente gestaan, die ik zeven jaar had bezocht. Nu is het een door negers bezochte Baptistenkerk. De luchtspoorweg had de grens gevormd met het uitpuilende zwarte getto voorbij ons blok. Maar zwarte kinderen waren de grens overgekomen om naar school te gaan en op het plein te spelen. Ze speelden ook op straat, en op regenachtige dagen zochten sommigen hun toevlucht in de diepe, brede hal van het gebouw waar ik woonde.

's Avonds, nadat Tom Mix Tony de teugels weer had aangebonden, ging ik eten en maakte mijn huiswerk. Een keer, op een stormachtige winteravond zat ik over mijn huiswerk gebogen te luisteren naar de regen tegen het raam en het lawaai van een spelletje met kroonkurken in de hal. Wij woonden op de begane grond, direct boven de bakkerij in de kelder, en beschouwden de hal als een extra open ruimte bij onze flat. Het was een flink kabaal en ik werd ineens boos omdat ik vanwege die lange uren op de school van onze gemeente en het huiswerk zelf niet naar buiten kon. Ik merkte dat het vrolijke spel in mijn hal me danig de keel begon uit te hangen en ik smeet mijn potlood op tafel. Ik zag dat mijn vader opkeek uit zijn Jiddisje krant. Hij was toen nog jong en sterk, en hij droeg zijn grote zwarte keppel als een zwarte kroon op zijn hoofd. Ik schreeuwde iets over het lawaai en rende de keuken uit en de hal in.

In de straat waar ik woonde werd het spel met de flessedoppen op twee manieren gespeeld: serieus of onbesuisd. Als je het serieus speelde, was het een plechtig, doodernstig ritueel, waarbij de flessedoppen met was werden gevuld om ze meer gewicht te geven. Je enige doel was je tegenspeler te vernietigen door zijn flessedoppen uit een van tevoren bepaald gebied te kaatsen, terwijl die van jezelf hierin bleven. Als je het onbesuisd speelde, werden de doppen niet verzwaard, en je gooide zo maar wat, zonder te letten op wie er won of verloor. Doorgaans werd alleen door de heel jonge kinderen onbesuisd met de doppen gespeeld, en was die wijze van spelen beledigend voor veteranen zoals ik.

Vier jongens namen deel aan het spel in de hal. Ze waren acht of negen jaar oud en sprongen met een hels kabaal rond de flessedoppen, ze duwend, schoppend en zomaar over de vloer van de hal mikkend. Er was duidelijk geen gebiedje afgezet en in de doppen zat geen was. Ik vatte hun gedrag op als een openlijke ontheiliging. Drie van de jongens woonden in het gebouw; ik kende hen vaag. De vierde was een zwarte jongen.

Ik zei hen dat ze hun doppen moesten pakken en weg moesten gaan, omdat ze teveel herrie maakten.

Ze keken me aan, lachten en gingen verder met hun spel.

De onaangename regen buiten, het strenge regime van de uren op de school van onze gemeente en de lichtzinnige ketterij in de hal veroorzaakten ineens een explosie. Ik schreeuwde dat ze naar buiten moesten.

Ze hielden op met hun spel.

Eén van de jongens zei dat zij ook in het gebouw woonden, en dat ze in de hal mochten spelen als ze daar zin in hadden, dat die ruimte niet van mij was.

Weer schreeuwde ik hen toe dat ze hun doppen moesten pakken en naar buiten gaan.

Ze bleven me staan aankijken, maar verroerden zich niet.

Eén van hen veegde zenuwachtig zijn snotneus. Een andere mompelde dat het buiten regende. Degene die eerder had gesproken, herhaalde weer dat zij ook in het gebouw woonden en in de hal mochten spelen als ze daar zin in hadden, of dacht ik soms dat het gebouw van mij was?

Er viel een korte, gespannen stilte. De flessedoppen lagen over de vloer verspreid als kleine, spottende mondjes.

Toen schreeuwde ik, dat *hij* niet in het gebouw woonde, en ik wees naar de zwarte jongen.

De drie blanke jongens keken naar hem, keken toen elkaar aan, en toen weer naar mij.

Ik gilde tegen de zwarte jongen, dat hij op moest rotten en zijn doppen moest meenemen.

Hij bleef roerloos staan, een kleine jongen in een grijze trui, een donkere broek en versleten schoenen. Zijn ogen waren grote witte ronde ballen en met zijn handen wreef hij onzeker over zijn grijze trui. Een roze tong kwam uit zijn mond, likte aan zijn lippen, en verdween weer.

Toen grijnsde hij naar me.

Daar stond ik, en zag hoe hij naar me grijnsde. Ik had hem niet vanwege zijn kleur uitgekozen, maar omdat hij degene was die zich het minst effectief zelf kon verdedigen: hij woonde *niet* in het gebouw, *hij* was een indringer. Nu ken ik de aard van die grijns, en de angst die erachter schuilgaat. Maar toen vatte ik die grijns op als een openlijke bespotting: hij stond me gewoon uit te lachen om mijn kwaadheid.

Ik raakte buiten zinnen van woede. Een wilde stroom beledigingen trof de zwarte jongen als een zweep, en op een bepaald punt in deze onbeheerste stortvloed werd zijn huid ineens diepzwart en werd hij een nikker, een schepsel dat ik zonder angst voor represailles kon vermorzelen, en ik bleef tegen hem tekeergaan totdat mijn woorden door mijn haat werden verstikt, en mijn stem stokte.

De blanke jongens gaapten me aan. De zwarte jongen grijnsde niet meer en deinsde terug. En ik stond te trillen, plotseling geschrokken van mijn eigen woorden.

Toen voelde ik hoe ik aan mijn riem en de kraag van mijn hemd van de vloer in de hal werd getild. Ik schreeuwde het uit van angst en schaafde mijn armen. Ik draaide mijn hoofd om en zag mijn vader. Hij had een rood hoofd en zijn zwarte keppeltje stond gevaarlijk ver naar achteren geschoven op zijn hoofd. Hij droeg me dwars door de hal onze flat in. Hij zette me neer en sloeg de deur met een klap dicht. Toen sleepte hij me aan de hand naar de keuken en we gingen aan tafel zitten. Mijn moeder stond bij het aanrecht en droogde haar handen nerveus aan haar schort. Mijn vader keek me lang aan. Toen hij begon te spreken, was hij niet langer boos. Door zijn woorden heen hoorde ik de regen tegen het raam.

Na de moord op Tsaar Alexander, waarvoor de joden verantwoordelijk werden gesteld, had zijn familie in doodsangst geleefd voor door de regering georganiseerde pogroms. Of ik wist wat dat betekende, in doodsangst leven?

Ze hadden in een dorp in het westen van Rusland gewoond, bij de Poolse grens, en het nieuws over de pogroms werd meegebracht door joodse voerlieden en rondtrekkende kooplieden, die met de tong klikten en zenuwachtig aan hun baard plukten, wanneer ze het hadden over de bendes boeren en met hun zwaarden zwaaiende kozakken, die een spoor van berovingen en verkrachtingen door de joodse gettogebieden in Rusland achter zich lieten. De joodse nederzettingen waren niet in staat geweest zich tegen de bendes te verweren. Of ik wist wat het betekende, niet in staat te zijn je te verweren?

Hij was toen ongeveer net zo oud als ik - zes maanden voor zijn *bar mitswe*. Hij ging bij het brandweerkorps van het dorp, niet uit loyaliteit met de plaatselijke boeren, wier haat jegens de joden evenredig groeide met de stroom aan nieuws over de naderende bendes, maar omdat elk lid van het korps werd uitgerust met een brandweerbijl, en hij wilde die bijl hebben om zijn huis te beschermen. Hij sloot zich ook aan bij de plaatselijke zionistische organisatie. Ze vergaderden in het geheim en gebruikten voor hun bijeenkomsten zolders, kelders of dichte bossen, omdat de tsaar elke zionistische activiteit buiten de wet had geplaatst. Zelfs de verdenking van zionistische activiteiten was voldoende om te worden gearresteerd en naar de vergetelheid van Siberië te worden gedeporteerd. Twee joodse jongens uit zijn groep werden aangehouden. Ze kregen nooit een proces. Ze waren gewoon verdwenen. Of ik wist wat het betekende, te moeten leven zonder de bescherming van de wet?

Op een middag kwam een boer die loyaal was aan mijn vader hun woning binnenrennen. Hij was voor een persoonlijke zaak op het politiebureau geweest en had per ongeluk de lijst met arrestaties van die avond zien liggen. De naam van de jongen kwam voor op de lijst. De misdaad? Zionistische activiteiten. Straf? Deportatie naar Siberië. Of ik wist wat het betekende, geconfronteerd te worden met genadeloze politiefunctionarissen?

In minder dan een uur nadat de boer was binnengelopen had zijn moeder kleren en eten ingepakt, en had zijn vader contact opgenomen met de plaatselijke vertegenwoordiger van het ondergrondse verbindingsnetwerk dat liep van New York, via Duitsland en Polen naar vrijwel elke stad, elk dorp of gehucht in de joodse gettogebieden in Rusland, en hij had hem alles betaald. Vertegenwoordigers van dit netwerk hadden tot taak, joden in veiligheid te brengen die door de Russische politie achterna werden gezeten vanwege anti-tsaristische activiteiten. Ze smokkelden deze joden over de Russisch-Poolse grens, vervolgens door Polen en Duitsland naar Hamburg, waar ze konden inschepen voor Amerika. Paspoorten moesten vervalst worden, wachten omgekocht en men moest door grote stukken gevaarlijk open terrein trekken, overnachtingen moesten worden georganiseerd en betaald - en overal tijdens de tocht kon een boer of een wacht, die de joden meer haatte dan hij van geld hield, deze reis een halt toeroepen. De tocht duurde gemiddeld drie maanden. Of ik wist wat het was om in doodsangst te vluchten, en een vader en moeder achter te laten die vervolgens bezoek zouden krijgen van de politie en maar moesten zien hoe ze zich zouden verweren tegen de bendes?

Mijn vader vroeg om een glas thee en mijn moeder bracht het hem. Hij nam een klein suikerklontje tussen de tanden en zoog de thee langzaam door de suiker. Buiten tikten de regendruppels luid als kiezelstenen tegen het keukenraam. Mijn moeder ging weer bij het aanrecht staan en keek hoe mijn vader zijn thee dronk. Zij had haar eigen herinneringen aan Oost-Europa, en die verschilden niet veel van de zijne.

Ik bleef zwijgend aan tafel zitten. In plaats van het beven, zoals hiervoor, groeide een gevoel van afschuw bij me over wat er net in de hal was gebeurd. Ik *zag* de woorden die ik had gebruikt: ze kwamen tot leven en bewogen als wild dansende derwisjen vlak voor mijn ogen.

Mijn vader keek me nors aan. Hij haalde een vinger langs de boord van zijn kraagloze hemd. Hij had machtige armen - hij sjouwde de hele dag enorme rollen papier in een groothandel in kantoorbenodigdheden. Hij keek grimmig en zijn ogen waren samengeknepen van ingehouden woede.

Waar had ik zulke woorden geleerd, wilde hij weten. Op school, tijdens mijn Bijbel- en Talmoedlessen? En zelfs als ik ze op straat had geleerd, hoe haalde ik het in mijn hoofd om ze op zulke wijze te gebruiken? Waarom had ik ze zo tegen dat jongetje gebruikt? Omdat hij een zwarte huid had? Omdat hij anders was? Zou ik ook zo tegen tante Sarah hebben gesproken, omdat zij dik en niet erg mooi was? Zou ik ook zo tegen Yankele Rosenthal hebben gesproken, omdat die verlamd was? Zou ik ook zo tegen neef Reuven hebben gesproken, omdat die stotterde? *Zij* waren ook anders.

En *wij* waren anders, joden waren altijd anders. Hoe zouden wij kunnen roepen dat anderen zulke woorden tegen ons gebruikten als wij *zelf* die woorden in de mond namen tegen mensen die zwart waren geboren?

In de geest van mijn vader was de wereld verdeeld in twee kampen: in joden en niet-joden. En de leden van elk kamp konden op hun beurt weer worden ondergebracht in twee groepen: de goeden en de slechten. Hoe iemand werd geboren was Gods zaak; hoe iemand leefde was zijn eigen zaak. Was iemand *goed*, was iemand *vriendelijk*? Zo moest je mensen beoordelen. En liever een goede niet-jood dan een slechte jood. Hij zou me heel wat verhalen kunnen vertellen over joden ten tijde van de tsaar, zei hij. Hoe iemand *leefde*, dat was belangrijk. Liever een goede heiden dan een slechte hogepriester, citeerde hij.

Zijn woorden maakten me diep beschaamd.

Er viel een lange stilte. Toen vroeg hij me of ik had begrepen wat hij had gezegd. Ik knikte. Hij zei dat ik naar buiten moest gaan en mijn verontschuldigingen aan de jongen moest maken.

36

Bijna verlamd van zorgen over hoe ik mijn excuses exact zou verwoorden liep ik de keuken uit en naar buiten. Ik *wilde* mijn excuses aanbieden. Ik dacht dat dan het knagende gevoel van ontzetting zou verdwijnen. Maar de zwarte jongen was er niet. Geen enkele jongen was er meer. De diepe, brede hal was leeg - en stil.

Toen ik mijn vader vertelde dat de zwarte jongen er niet meer was, liet hij me beloven dat ik me zou verontschuldigen, zodra ik hem zag. Maar ik heb hem nooit meer gezien. Net als de oude kruidenierswinkel is mijn poging tot verontschuldigen een toonbeeld van een tekortkoming gebleven.

Mijn vader bleef tot aan het einde van zijn leven dezelfde mening over de zwarte mens toegedaan. Ook al was hij een genaturaliseerd burger, wat dit betreft is hij nooit echt een Amerikaan geworden.

Ergens tijdens mijn lange educatieve reis die mij van mijn straat in de Bronx naar een twintigste-eeuws rabbinaat heeft gevoerd, werd ik *wel* een Amerikaan. De eerste tekenen van mijn Amerikanisme manifesteerden zich, naar ik me nu realiseer, in die diepe, brede hal. Toen gingen de kleine zwarte Sambo, Amos en Andy, de bioscoopjournaals over watermeloen etende negers en de Charlie Chan-films waarin de zwarte chauffeur bleek om de neus wordt en wegvlucht bij het eerste teken van gevaar, toen gingen al deze zaken passen in een bewuste werkelijkheid en veranderde een jongetje in een voorwerp van spot en haat. Later, op de beschaafde paden van mijn educatieve reis, was er de neger-kok in Hemingways *The Killers*, de moerasmensen van William Faulkner, en het kundig uitgetekende sadisme en masochisme van de vroege Erskine Caldwell. Tegen de tijd dat ik van de middelbare school kwam, was huidskleur een Kantiaanse categorie van het verstand geworden - subtiel en onmerkbaar, behalve wanneer hij zorgvuldig werd geanalyseerd. Mijn opleiding tot rabbijn was een proces dat was geënt op een ethiek die zich absoluut niet verdroeg met een dergelijke categorie. Maar omdat de publieke opinie zich tot dan toe niet had geconcentreerd op dit conflict, konden deze tegenstrijdige elementen rustig in harmonie naast elkaar huizen, grenzend aan je reinste zelfmisleiding. Ik was op-en-top een Amerikaan.

In de jaren die zijn verstreken sinds de uitspraak van de Hoge Raad over gelijkberechtiging heeft deze harmonie zeer heftige veranderingen ondergaan. Ik geef les in de rabbijnse ethiek, die de mens op zijn daden beoordeelt, maar als ik door een zwarte wijk rijd, zie ik vuil. Ik roem de neger van nu en benijd hem, als de enige Amerikaan met een religieus doel voor ogen, maar 's avonds loop ik bevend van angst op straat een groepje zwarten voorbij. Ik ben volledig één met de onder de ketchup en mosterd en haat zittende zwarte student in een eethuis in het zuiden, maar zit ik naast een neger in de trein, dan is er altijd het *gegeven* van zijn huidskleur dat als een moeras tussen ons ligt.

Natuurlijk is het *mijn* probleem, niet het zijne. De categorie huidskleur kent gevolgen: ik zoek nu ook al naar vuil tussen de in kaftans geklede Oosteuropese joden.

Ik heb nog slechts één hoop om gered te worden: op de een of andere wijze moet ik mijn kinderen zodanig opvoeden, dat de categorie huidskleur in hun denken niet voorkomt. Maar ik moet er nog achter komen hoe dit moet in Amerika.

Ik keerde terug naar mijn straat in de Bronx, omdat ik dacht, dat als ik de plaats kon zien waar dit moeras was ontstaan, ik het wellicht op de een of andere manier zou kunnen oversteken. Maar de categorie huidskleur werd slechts levendiger gemaakt, en ik ging er wanhopig vandaan. Ik ben te zeer een Amerikaan, en mijn straat in de Bronx was een schilderij dat in giftige olieverf was opgezet.

De katten van Alfasistraat 37

De smalle straat in Jeruzalem slingert als een bruine ri-
vierbedding onder het groene loof van de bomen. Het
is er heet en droog door de woestijnwind. In de schaduw van de zandkleurige stenen muurtjes die aan de
voorkant van de tuinen staan liggen katten. Hoge
cypressen tekenen zich af tegen de lichtblauwe lucht -
enorme groene vingers die naar de verzengende zon
wijzen. Achter de stenen muurtjes groeien woestijnplanten op de bewerkte roodachtige aarde - armetierige
cactussen, doornige kattesnorren, lage woestijnplanten
met leerachtige bladeren en tere woestijnbloemen met
nietige rode en blauwe blaadjes, als edelstenen in een
hoop klei. Door de tuinen lopen paden van flagstone
naar de stenen flatgebouwen, paden waarover de katten zich als tijgers naar de schaduw van de balkons bewegen.
De huizen hebben dezelfde kleur als het woestijnzand.
Ze zijn gebouwd van stenen die uit de heuvels van Judea werden gehaald. Hun stijl is modern, rechte func-
tionele lijnen lopen van de grond tot het dak, en maar
één huis telt meer dan drie verdiepingen. Vrijwel elke
kamer heeft een balkon, en de zon is steeds niet meer
dan een stap verwijderd van de geopende luiken. De
balkons aan de Alfasistraat zijn een antwoord op eeuwen van van de zon verstoken getto's.
En dan zijn er de kale, bruine heuvels van Judea, die
in stenen golven overal rondom oprijzen - de heuvels
waar David en Salomon hun koninkrijk vorm gaven,
en de Makkabeeën de Syriërs bevochten, Farizeeën met
Sadduceeërs streden, Zeloten strijd leverden met Ro-
meinen en de joden in de schaduwen van een in vlammen opgaande Tempel wachtten op een Messias - luide
echo's uit een hardnekkig verleden.
Enkele jaren geleden hadden de tractoren, die de grond
hadden doorploegd en geëgaliseerd waarop de nieuwe
huizen van de Alfasistraat zouden worden gebouwd,

een graftombe blootgelegd die op zijn beurt begraven had gelegen onder eeuwen van rots en zand. Archeologen van de Hebreeuwse Universiteit waren gekomen en hadden de graftombe uit de tweede eeuw voor Jezus gedateerd, de tijd van de opstand van de Makkabeeën tegen de helleniserende Syriërs. De tombe was herbouwd, en een groot, piramidevormig, witstenen bouwwerk staat nu boven de stenen graven. Katten hangen rond op het pad dat van de straat naar de tombe leidt, tussen de met keien en woestijnbloemen, terrasvormig aangelegde grond. Zo maken tweeduizend jaar oude doden deel uit van het heden van de Alfasistraat.

Nu, tegenwoordig, spelen kinderen in de straat en praten gemitrailleerd Hebreeuws; in kaftans geklede Chassidiem lopen snel voorbij, voorovergebogen, hun lange slaaplokken heen en weer wapperend; de tuinman klopt op mijn deur op de begane grond en vraagt om een verfrissing; de huisbewaarster vraagt zich af waar ze haar emmer en bezem heeft gelaten; aan de overkant van de binnenplaats draait een jong stel Russische en Amerikaanse platen; een raam verder studeert een meisje piano; een buurvrouw boven mij wacht op het afzwaaien van haar zoon uit het leger...

Het verleden en het heden komen samen - dromen van eeuwen zijn tot norm geworden op een strook Jeruzalemse grond.

De hitte heeft de straat helder en muskusachtig gemaakt. Het is de eerste week in oktober, de tijd van *chamsin*, wanneer de woestijn heerst, en zelfs de katten zich traag voortbewegen over de Alfasistraat.

Overal vind je katten - bovenop de tuinmuurtjes, op de flagstonepaden, in de kleinste steegjes, op de stoep, op straat. Ze zijn zwart en wit en grijs, en ze janken in de koelte van de avond, wanneer de hitte is geweken en ze tegen elkaar tekeer kunnen gaan zonder hinder te ondervinden van de woestijnzon. Ze eten van het afval dat 's ochtends buiten wordt gezet, en de vuilnismannen jagen hen met goedgemeende, in een gutturaal Arabisch-Hebreeuws geschreeuwde dreigementen uiteen. De katten zijn de maatjes van de bruine Marokkanen die op de vuilniswagens werken, wagens die in de vroege ochtend als voortsjokkende tanks door de Alfasistraat schuiven.

Voor Alfasistraat 37 ligt een lang pad van flagstones. De stenen zijn glad en hebben de kleur van woestijnzand. Het pad loopt van het huis naar de straat en aan weerszijden staat de roodachtige aarde vol woestijnplanten. Om de paar dagen komt een tuinman de planten water geven, en komt een vrouw het pad schrobben.

Twee katten wonen tussen de woestijnplanten van Alfasistraat 37. Het zijn grote katten, en één heeft een gerafelde, zwarte streep die van zijn neus, via de ruimte tussen zijn ogen en over zijn kop naar zijn linkeroor loopt. De onderkanten van zijn poten zijn zwart, en hij heeft lange zwarte strepen in zijn staart. Deze zwarte vlekken steken scherp af tegen de enige andere kleur - wit.

De tweede kat is helemaal wit, op enkele kleine zwarte vlekjes op haar flanken na. Ze is zwanger, en als ze loopt zwaait haar buik zwaar heen en weer en raakt bijna de grond.

In de middaghitte houden de twee katten zich op in de schaduw van de stenen muur aan de straatkant. 's Avonds liggen ze tussen de woestijnplanten hun poten schoon te maken. Als ik tegen de avond van de Hebreeuwse Universiteit terugkom zie ik ze op de roodachtige aarde tussen de planten, en ik vraag me af wanneer de jongen zullen komen. Ze kijken me doordringend aan, hun lijven als een boog gespannen uit instinctieve oerangst. Bij mijn deur aangekomen draai ik me om en zie dat ze weer ontspannen tussen de woestijnplanten hun poten liggen te likken.

De tuinman, een grote, bruine Marokkaan, plaagt hen goedaardig. Hij is jong en breedgeschouderd, draagt een baret en komt met zijn motorfiets naar het huis. Hij richt de tuinslang op het stukje grond waarop ze liggen en lacht als ze wegspringen voor de waterstraal. Hij ziet hoe de buik van de zwangere kat boven de grond zwaait wanneer ze wegrent en zegt tegen haar dat haar babies er met hun kop omlaag uit zullen vallen als ze zo rond blijft rennen, en dat ze niet moet denken dat ze haar kroost van hem in deze tuin mag houden, twee katten gaat nog, maar een heel nest - en hij lacht hartelijk en draait het mondstuk totdat het water wordt verneveld. Dan richt hij zijn aandacht op de woestijnbloemen.

De schoonmaakster is klein van stuk en broodmager. Ze heeft armen en benen als van een vogelverschrikker en een haakneus. Ze is in de veertig of vijftig, en ze komt om de andere dag of om de twee dagen om het flagstonepad en de trap te schrobben. Maar de eerste minuten brengt ze door met heen en weer lopen en zich af te vragen, waar ze haar emmer en bezem heeft gelaten. Ze vult de emmer met water en gooit hem leeg over het pad, waarna ze het water met een langborstelige bezem de straat op schrobt. Als ze het pad veegt praat ze zachtjes in het Hebreeuws tegen de katten. Ze vertelt hen dat het een hele verantwoordelijkheid is, een gezin te hebben. Zelf is ze nooit moeder geworden, maar als één uit een Perzisch gezin van elf kinderen weet ze dat het een hele verantwoordelijkheid is: ze herinnert zich haar eigen ouders maar al te goed. Wat fijn om kinderen te krijgen, hoe gelukkig, om trots op te zijn. Maar het is een verantwoordelijke taak. Wanneer ze met haar werk klaar is brengt ze hen water in een gedeukt metalen bord, en ze laten haar naderen zonder terug te deinzen. Zij is de enige persoon op het flagstonepad waarop ze niet met hun jungle-angst reageren.

Iedere ochtend vroeg komen de twee katten de stoep op en zoeken naar voedsel tussen de vuilnisemmers. Ze gooien de deksels van de vaten en scharrelen rond tussen het afval in de emmers. Ze eten snel, want weldra komt de tankachtige wagen om hun eten mee te nemen. Ze eten alleen. Geen andere kat komt bij hun emmers, want de niet-zwangere reageert wild als hij eet en jaagt ze weg. Dan komen de vuilnisophalers en de katten deinzen terug tegen de muur. De mannen pakken de vaten, gooien ze leeg in de vuilniswagen en lachen vriendelijk om de twee katten en om het gemak waarmee pa voor zijn gezin zorgt. Een van de vuilnisophalers is klein en heel sterk, met pezige spieren die onder de bruine huid van zijn armen opbollen. Hij draagt een zwarte baret en klakt met zijn tong naar de *tsemed-chemed*, het uitgelezen stel, en zegt tegen de anderen dat de katjes binnenkort het afval van de halve Alfasistraat over het wegdek zullen gooien. Behoedzaam kijken de katten toe, hoe de vuilniswagen wegsukkelt. Dan gaan ze door het poortje de tuin weer in en gaan tussen de woestijnplanten hun poten liggen likken.

Eén van de vele kinderen van de Alfasistraat is een jongetje van een jaar of acht, negen. Hij heeft blonde haren en donkere ogen, en ik zie hem altijd tegen de avond als hij voorbij het stenen tuinmuurtje loopt. Hij draagt een wit poloshirt en een blauwe korte broek met op de zijkant brede, witte strepen. Hij draagt sandalen, waarvan ik de riempjes tegen de betonnen stoeptegels hoor slaan. Hij is groot voor zijn leeftijd en heeft een katachtige manier van lopen. En hij loopt

met de trotse zelfverzekerdheid van een geboren Israëli.

En hij valt de twee katten van Alfasistraat 37 voortdurend lastig.

Door het keukenraam zie ik hem op een avond - alleen de bovenste helft van hem is zichtbaar - aan de
straatkant van het tuinmuurtje lopen. Voor het poortje blijft hij staan en doet enkele stappen op het flagstonepad. Dan blijft hij doodstil staan en kijkt naar de
twee katten. Hij veegt zijn blonde haren uit zijn ogen,
gaat met zijn handen op de rug staan en buigt zich
voorover met een grijns om zijn lippen. De katten komen, gespannen en angstig door zijn aanwezigheid,
snel overeind. Hij bespot de dikke buik van de zwangere kat, noemt haar Dikke, en zegt dat als ze haar
jongen naar deze tuin durft te brengen, hij ze een voor
een zal verdrinken, en haar erbij. En dan gooit hij een
steen naar hen en lacht als ze wild tussen de planten
door wegvluchten en achter het huis verdwijnen. Snel
loopt hij weg en is al verdwenen voordat ik naar buiten kan komen.

Soms zie ik hem in de vroege ochtend voorbijlopen
met een kartonnen doos op zijn hoofd balancerend,
net als oriëntaalse vrouwen doen. Hij loopt stijfjes,
zijn blonde haren vallen over zijn voorhoofd, zijn
handen heeft hij in zijn zij. Dan blijft hij staan en kijkt
naar de twee katten die in de vuilnisvaten op zoek zijn
naar eten. De katten kan ik niet zien; ze zitten aan de
straatzijde van het muurtje. Ik zie hoe hij de kartonnen doos van zijn hoofd pakt en hem omdraait, zodat
de open zijde naar de grond is gekeerd. Dan zie ik hoe
hij hem in de richting van de katten gooit. Ik hoor een
boos, blazend geschreeuw en ineens zie ik de katten
over de muur springen en door de tuin rennen. De
jongen grijnst tegen hen, leunt met zijn ellebogen bovenop het muurtje en steunt zijn gezicht in de palmen

van zijn handen. Hij schudt zijn hoofd, klikt met zijn tong en grijnst.

'Deze doos is voor je jongen, dikke kat,' sart hij. 'Ik geef je jongen een huis, en jij rent weg. Waarom ren je weg, hè? Kom terug, Dikke' - dan barst hij in lachen uit en loopt door, de kartonnen doos op zijn hoofd balancerend, de riempjes klep-klepperend tegen de stoep.

Hij is nog jong, maar de manier waarop hij de twee katten van Alfasistraat 37 sart getuigt van een sadisme van eeuwen.

Vroeg in de ochtend op de vierde dag van het feest van Soekot loop ik mijn flat uit en kom de tuinman tegen die de planten sproeit en de schoonmaakster die het pad aan het schrobben is. In het oosten is de lucht bijna wit door de grote bol van de zon, maar de ochtend is nog koel en de luiken zijn nog niet gesloten om de woestijnhitte buiten te houden. Voorzichtig stap ik over de natte flagstones naar het poortje en buiten gekomen zie ik de twee katten in de vuilnisemmers op de stoep naar eten zoeken. Ze houden me nauwlettend in de gaten als ik voorbijloop, en gaan dan weer vlug door met eten. De zwangere kat zit in een van de vaten; de andere zit op de stoep temidden van een hoop verspreid afval, in gevecht met de vliegen om zijn hapje eten.

Aan de overkant van de straat loopt een Chassied met een palmtakje en een zilveren ethrogdoosje in zijn handen snel voorbij. Hij ziet eruit als iemand van voor in de twintig en draagt een donkere kaftan, een hoed met brede rand, en lange witte kousen. Hij loopt voorovergebogen en zijn lange gekrulde slaaplokken zwaaien tegen de zijkant van zijn bebaarde gezicht.

Een *Tenoewa*-melkauto komt de straat in als een reusachtig gordeldier. Langzaam rijdt hij me voorbij, schakelend met een rommelend gesputter.

Dan hoor ik een schreeuw en ik draai me om. Ik zie dat de Perzische schoonmaakster op de stoep woedend met haar vogelverschrikkerarmen zwaait. Ik zie de Marokkaanse tuinman met de tuinslang in zijn hand omkijken. Ik zie de Chassied met open mond aan de grond genageld op de stoep staan. Ik zie een kartonnen doos op zijn kant tegen een van de vuilnisemmers liggen. Ik zie de niet-zwangere kat over het tuinmuurtje springen en de zwangere de straat op rennen en tussen de wielen van de melkwagen verdwijnen. En ik zie de geboren Israëli grijnzend op de stoep staan.

De zwangere kat is tussen de wielen van de melkauto verdwenen en ontzet wacht ik op het ogenblik dat de auto is doorgereden. Dan zie ik haar over de stoep aan de overzijde rennen. Ze komt in de buurt van de Chassied, die terugdeinst en zijn palmtakje en zilveren ethrogkistje tegen zijn borst drukt. Dan rent ze weer de straat over, een witte vlek met een hevig zwaaiende buik, een en al vloeiende beweging als ze op het stenen muurtje en de tuin in springt. Ik hoor hoe ze vliegensvlug tussen de woestijnplanten naar de achterkant van het huis rent.

De jongen is grijnzend op de stoep blijven staan, zijn blonde haar over zijn voorhoofd en voor zijn ogen.

De schoonmaakster draait zich naar hem om. Haar magere lijf trilt van woede. Een vogelverschrikkerarm beweegt een potloodachtige vinger in de richtig van de jongen.

'Vind je dat nou leuk?' schreeuwt ze naar de jongen. 'Vertel eens, vond je dat leuk? Waarom deed je dat?'

De jongen kijkt haar grijnzend aan. Zij is de schoonmaakster en hij hoeft haar dus niet te antwoorden.

'Heb je nu je zin?' schreeuwt ze naar hem, zwaaiend met haar vogelverschrikkerarmen. Ze staat nu voor het poortje, haar uitgemergelde lichaam is als een trillend riet. 'Het scheelde niet veel of ze was dood geweest.

Had je dan je zin gehad? Vertel eens, hoe kun je dit in godsnaam leuk vinden?'

De jongen negeert haar. Hij loopt haar voorbij en gaat naar de kartonnen doos. Hij draagt een wit poloshirt, een blauwe korte broek en sandalen met riempjes.

De vrouw richt zich tot de tuinman. 'Zeg jij het maar,' zegt ze. 'Zeg jij hem maar eens wat hij heeft gedaan.'

Maar de tuinman haalt de schouders op en draait net zolang aan het spuitstuk totdat het water een fijne nevel vormt en begint de planten te sproeien.

Nu kijkt de Chassied van aan de overkant van de straat naar de jongen en ik zie dat ook hij helemaal kookt van woede.

'*Tsa'ar ba'alee chajiem!*' schreeuwt hij met een dun stemmetje. 'Je mag dieren niet kwellen!'

De jongen kijkt hem uitdagend aan. 'Je hebt je hersens in je zakken!' schreeuwt hij terug.

De mond van de Chassied valt open.

'Moet je dat jong horen,' zegt de schoonmaakster. 'Moet je horen hoe hij praat.'

'Je hebt je hersens in je zakken,' roept de jongen nog eens naar de Chassied. Hij lacht, veegt zijn haren uit zijn ogen en wacht op een antwoord.

Maar de Chassied kijkt hem grimmig aan, en zwijgt. Dan spoedt hij zich weg, voorovergebogen, het palmtakje en zijn zilveren ethrogkistje tegen de borst gedrukt.

De jongen grijnst en maakt een klikkend geluid met zijn tong. Dan buigt hij zich voorover om zijn kartonnen doos op te rapen. Zonder me aan de kijken loopt hij me voorbij, de riempjes luid tegen de stoep klepklepperend. De schoonmaakster kijkt hem na als hij wegloopt. Hij balanceert de kartonnen doos op zijn hoofd.

Als ik die avond terugkom van de Hebreeuwse Universiteit zijn de katten verdwenen en staan de woestijnplanten alleen in de tuin achter de zandkleurige stenen muur. Ze blijven een aantal dagen weg, totdat er op een ochtend een krijsend wit donsballetje tussen de tuinplanten zit dat zich onzeker over de roodachtige aarde beweegt. Als ik er naartoe loop zie ik dat het een katje is. Ik vraag me af waar de rest van het nest is. Dan komt de moeder snel van ergens achter mij aanlopen, pakt het krijsende witte donsballetje op in haar bek en rent achter het huis om weg. 's Avonds is het balletje dons er weer, tussen de planten, en later zie ik de moeder er weer op af lopen, het oppakken en ermee weglopen. De volgende dag, 's ochtends vroeg, zie ik het bij het stenen muurtje, een wit donsballetje dat zijn honger de wereld inschreeuwt, en weer komt de moeder en draagt het weg.

Die avond ga ik een wandeling maken en zie het kattejong bij het poortje, op zijn jonge pootjes over de flagstones zwabberend. Ik pak het op en zet het tussen de woestijnplanten in de tuin. Het jankt in mijn handen en zet zich zwakjes af tegen mijn vingers, terwijl zijn witte lijfje helemaal trilt.

Wanneer ik een uur later terugkeer, zie ik het katje weer, en ik blijf er met afschuw naar staan kijken. Het ligt nu tegen de stoeprand, zijn kopje verpletterd. Het ziet zwart van de vliegen op zijn witte lijfje. Een uur geleden huilde het nog om eten. Nu is het zelf eten voor de azende vliegen. Zelfs de Alfasistraat kent zijn eigen jungle, bedenk ik bedroefd, en ik draai me om en loop langzaam het flagstonepad op.

In het halletje blijf ik staan, en luister naar het geluid van in sandalen met riempjes gestoken voeten die op straat lopen. Ik draai me om en zie de jongen. Hij loopt langzaam, met de kartonnen doos op zijn hoofd. Bij het stenen muurtje blijft hij staan en hij kijkt de tuin in. Hij pakt de doos van zijn hoofd en zet hem op het muurtje. Ik zie hoe hij de katten zoekt, en hoe hij grijnst.

'Waar ben je, dikke kat?' hoor ik hem roepen. 'Waar heb je je verstopt? Wil je geen huis voor je jongen?'

Hij lacht, zet de doos weer op zijn hoofd en loopt verder. Ik zie alleen maar zijn bovenste helft boven de stenen muur uit. Hij draagt een wit poloshirt. De riempjes slaan luid tegen het plaveisel.

Dan loopt hij verder de straat af en komt precies voor het poortje. Ik zie dat hij ineens blijft staan, de doos valt op de grond.

Hij blijft aan de grond genageld op straat staan kijken. Dan gaat hij langzaam naar de stoeprand toe en buigt zich over het katje, kijkt ernaar, naar de dood die het heeft meegevoerd naar de grote stilte. Hij blijft er een hele tijd naar kijken en ik zie zijn schouders beven.

'Aj,' hoor ik hem zachtjes zeggen, en er klinken tranen in zijn stem. 'Wist je niet dat het verboden is voor iemand zo klein als jij om op straat te komen?'

Hij zwijgt, aarzelt. Omzichtig kijkt hij naar links en rechts de straat in. Dan kijkt hij weer omlaag naar het dode pakketje wit bont en naar de vliegen die zich aan het verpletterde kopje te goed doen. 'Heeft je moeder je niet gezegd, niet de straat op te gaan?' vraagt hij zacht. 'Aj, kijk nou toch. Zie je nu wat er gebeurt? Je moest zo nodig de straat op lopen. Kijk je arme kopje nou toch eens.'

Hij veegt met zijn handen zijn haren uit zijn ogen en staart naar het dode katje. Hij streelt het zachtjes met een vinger. De vliegen zwermen in een zwarte wolk weg. Dan komt hij langzaam overeind, loopt naar zijn doos en neemt die mee naar de stoeprand. Weer buigt hij zich voorover en pakt het katje op.

'Je moeder had je voor de straat moeten waarschuwen,' zegt hij zachtjes, huilend, het vermorzelde kopje met een vinger aaiend. 'Hoe kan dat nou, dat ze je niet voor de straat heeft gewaarschuwd?'

Slap ligt het katje in zijn handen, wit en dood. Voorzichtig legt hij het in de kartonnen doos.

'Het was niet jouw schuld,' zegt hij zacht. 'Jij kon het toch niet weten?'

Dan loopt hij langzaam door, de kartonnen doos met beide handen stevig tegen zijn borst gedrukt, de riempjes klep-klepperend tegen de stoep.

Die avond word ik wakker van het gejank van een kat ergens onder mijn raam, aan de achterkant van het gebouw. De kat huilt bijna een uur lang met een bijna menselijke stem die het duister vult als een nevel - het gejammer van een dier wordt toegevoegd aan het verleden dat opstijgt uit de graftombe van de Makkabeeën en de heuvels van Judea, en dat het alledaagse van het heden verbindt met de geluiden van eeuwen her. Dan houdt het op. Het is stil. Uiteindelijk val ik in slaap en droom de gemengde droom van een Amerikaanse jood in de Alfasistraat.

De donkere plek

Het was de vijfde zoon van Levi Abramovich als je de zielen rekende en zijn eerste als je alleen de levende ogen, ledematen en lachende monden telde. De anderen waren de smalle gang doorgegaan en hadden het rokerige water van het gifgas in het douchegebouw geproefd, samen met hun moeder, zijn eerste vrouw, zij die de wereld zo verlegen bezag en die in alle onschuld had gevraagd waarom de uniformen grijs waren en waarom zij zulke zware helmen droegen, of die geen pijn deden aan hun hoofd? Zelf was hij, toen hij bij de mannen stond, een tel voor het spervuur van kogels achterovergevallen, langs de heuvel naar beneden in het dichte struikgewas, en hij had die winter in een Poolse boerenschuur geleefd, met twee koeien voor de warmte en de lucht van dampende mest als een deken over de met stro bedekte planken.

Hij was toen een kleine, magere man van midden twintig geweest, zo klein en mager dat het nauwelijks de moeite waard leek, jacht op hem te maken en hem te doden. Maar bij de jacht hadden ze zijn gezicht in elkaar geslagen en bij het doden hadden ze hem met een bajonet bewerkt, zodat zijn bloed in donkere stroompjes langs de mestkluiten was gelopen. De moordenaars hadden hun werk evenwel slecht gedaan; de kruiden van de boeren hadden de wonden doen sluiten. Met zijn gezicht hadden ze echter wel vakwerk geleverd: zijn bruine ogen puilden uit, zijn magere, ingevallen wangen zaten onder de witte littekens. De lijn van zijn mond liep van links naar rechts scheef omhoog, met een opening bij de linker hoek, waar de mond was uitgescheurd. Zijn hals was stakerig dun, vol randen van littekenvlees. Vroeger was hij vrij knap geweest. Nu zag hij er voortdurend uit als een verbaasd, nat vogeltje.

Hij dacht nooit aan zijn gezicht, het hoorde bij de donkere plek binnenin hem.

Hij had gezworen dat hij niet aan hen zou denken, aan de vier jongens en hun moeder in de stroom gas. Op de boot die de Britse blokkade ontliep, had hij niet aan hen gedacht. Die nacht op het strand, met de gefluisterde gretigheid van gebronsde mannen in zijn oren, had hij niet aan hen gedacht. Maar de eerste dagen in de kibboets, met de lachende gezichten van de kinderen op de tractors, ontkwam hij er niet aan, aan hen te denken. De gedachten woekerden voort en hij schudde hen eindelijk van zich af in de zon bij de gerst en de klaprozen. Hij kreeg snel in de gaten wat hij allemaal moest doen om niet aan hen te denken en later, in Jeruzalem, slaagde hij erin hen helemaal te vergeten onder het huwelijksbaldakijn, toen hij de ring aan de spitse vinger schoof en de donkere ogen achter de sluier strak aankeek. Hij had alle kneepjes van het niet-denken geleerd. Het denken was weggevaagd. Hij had nu die donkere plek van binnen. Hij hield hem donker, de lichtflitsen hield hij weg uit de donkere plek binnenin hem. Hij bewoog zich door de naar muskus geurende, zonovergoten straten van Jeruzalem met het donker binnenin hem, zo duister als de woestijnnacht na een zonovergoten dag.

Gedurende al die jaren dat hij op zijn scooter had rondgereden door de straten, tussen de woestijnkleurige, stenen gebouwen, was hij erin geslaagd, alleen aan Rachel te denken en aan zijn werk bij het ministerie. In de Jaffostraat was het rijden eenvoudig: de donkergekleurde Jemenieten met slaaplokken als dunne beddeveren aan weerszijden van hun gezicht, de zwartgebaarde Chassidiem in hun kaftans, de Arabieren met hun lange *kafija's* aan, de trotse, soepele motoriek van geboren en getogen Israëli's, de gedrongen, bruine Marokkanen, de blinde bedelaars die kranten venten of achter hun bedelnap gehurkt zaten - als hij zich op hun gezichten concentreerde, was het vergeten gemakkelijk en het rijden eenvoudig. Maar in de Rupinstraat was het niet zo eenvoudig. Daar waren geen gezichten in de met keien bezaaide, golvende heuvels van Judea voorbij Rehavya. Daarom dacht hij aan Rachel en hun eenkamerwoning, aan de binnenplaats achter de stenen muren. Hij dacht aan de katten op de binnenplaats die 's nachts jankten, aan Rachels praten en minnekozen in de nacht, aan het werk aan de papieren in de houten bakjes op zijn bureau - het hield de donkere plek donker en stil.

Hij dacht vaak na over God. Zijn gedachten over God waren eenvoudig. Gewoonlijk dacht hij: Heer der Wereld, U hebt U voor mij duister en stil gehouden, nu houd ik me duister en stil voor U. Ik haat U niet. Mijn stilte en duisternis is mijn manier van wachten op het einde van Uw stilte en duisternis. Uw stilte en duisternis waren er het eerst. Die moeten ook het eerst ophouden. Dan zal ik over mijn stilte en duisternis beslissen. Ik wacht wel.

Hij wachtte zestien jaar.

Twee dagen geleden was zijn zoon geboren. Nu reed hij op een vroege ochtend, terwijl de *chamsin* waaide, met de scooter door de Rupinstraat naar zijn werk; de heuvels van Jeruzalem lagen bruin onder de zengende zon. Toen hij de laatste bocht van de Rupinstraat nam en de hete, muskusachtige geur rook van de woestijnwind in oktober, dacht hij weer aan Rachels lange haar dat over het kussen van het ziekenhuisbed waaierde en aan de dikke dos zwarte haren op het hoofd van zijn twee dagen oude zoon - aan meer dacht hij niet in zijn geluk, dat als een heldere rivier over kiezels door de donkere plek binnenin hem stroomde.

Denkend aan het geluk stapte hij van de scooter af, liet hem achter op de gebruikelijke plaats in de stalling en hinkte langzaam naar het enorme, stenen gebouw van het Ministerie. Hij liep mank doordat de kruiden van

de boeren niet in staat waren geweest de diepe steek-
wonden van de bajonetten in de spieren en pezen van
zijn linkerbeen afdoende te genezen. Hij voelde de
hete *chamsin*-wind door zijn dunne, geelbruine broek
en zijn witte hemd met korte mouwen en open kraag.
Hij voelde hem aan de binnenzijde van zijn gebroken
neus en tegen het littekenweefsel op zijn gezicht. Het
donkere haar op zijn korte armen bewoog in de wind.
Zijn kalende schedel brandde in de zon en zijn ogen
deden pijn in het stralende licht. Zijn ogen deden altijd
pijn bij alles wat straalde, sinds die Poolse winter
waarin de sneeuw als een verblindende laag heet licht
onder de zon lag.
Hij hinkte de koelte van het stenen gebouw binnen,
zijn gedachten nog steeds bij het geluk, en merkte niet
dat Yaakov Spingler, die met een glas thee voor zich
in de met glas afgeschutte informatieloge zat, snel zijn
ogen afwendde en vandaag niet groette. In plaats daarvan keek hij pas naar hem toen hij al was gepasseerd.
Hij had bijna zijn glas omvergestoten, toen zijn vingers bij wijze van zucht over de smalle balie van de
loge dwarrelden.
Hij merkte ook niet dat de mensen in de hal die hem
groetten, hem niet rechtstreeks aankeken. Zijn geluk
vormde een muur tussen hemzelf en de wereld.
Gezeten in zijn kleine kantoortje, aan het bureau dat
ruggelings tegen dat van de jonge David Nahari stond,
zodat de twee elkaar over hun werk heen konden aankijken - werk dat bestond uit het vertalen van rege-
ringsdocumenten uit het Pools in het Hebreeuws en
uit het Hebreeuws in het Pools - hoorde Levi Abramovich niet dat Nahari's stem zachtjes trilde toen hij
'goedemorgen' zei en informeerde naar de gezondheid
van zijn vrouw en zijn pasgeboren zoon. Nahari was
een jonge man van Poolse afkomst. Hij was lid van de
religieuze partij. Hij droeg een klein, gebreid keppeltje

en een volle, rode baard. Ze werkten sinds drie jaar samen in dit kantoor en hadden maar één keer over God gesproken.

'Haifa was een vergissing,' had Nahari gezegd, op gespannen toon, want net als de meeste religionisten kreeg hij iets fels over zich als hij over rituele aangelegenheden praatte. 'Nu zijn we het kwijt. We zullen nooit toelaten dat hetzelfde in Jeruzalem gebeurt.'

Levi Abramovich had rustig gevraagd: 'Je bent er tegen dat het openbaar busvervoer op sjabbat werkt?'

'Ik ben tegen alle verkeer op sjabbat.'

'Waarom?'

'Het is heiligschennis.'

'Waarom?'

'Het is een overtreding van het woord van God.'

'Geloof je in God?'

Nahari had geschokt gekeken: 'Jij dan niet?'

De scheve mond had bedeesd geglimlacht. 'O, ja hoor. Ik geloof in God. Ik geloof dat hij het paradigma is voor alle gekken op de wereld.'

Nahari's mond was opengevallen. 'Hoe bedoel je?'

'God is stompzinnigheid. God is komisch. God is een dwaas.'

De woorden waren zacht uitgesproken, maar het gehavende gezicht had harde trekken gekregen.

'Dat is een ontheiliging van de Heilige Naam!'

De bolle ogen in het natte-vogelgezicht hadden hem plotseling koud aangestaard. 'Heb jij familie verloren in de concentratiekampen?'

'Ja...'

'Soms is God ook een bruut. Maar ik heb mijn definitieve oordeel over God opgeschort. Ik wacht af.'

De bedeesde stem kraakte van bitterheid. De ogen puilden koud en tartend uit. Nahari zou God nooit ofte nimmer meer tussen hen ter sprake brengen.

Bij de deuropening van het kantoor schraapte iemand

zachtjes zijn keel. Nahari sprong overeind. Nu merkte Levi Abramovich de plotselinge beweging van Nahari wel op: die was te snel, te nerveus geweest; hij had zijn heup gestoten tegen een hoek van het bureau; wrijvend over zijn heup liep hij naar buiten en botste bijna tegen de man die in de deuropening stond.

De man in de deuropening was groot en stevig; hij had een bruine hangsnor, dik bruin haar en lichte ogen die als kraaltjes in zijn gezwollen gezicht stonden. Hij had dikke, rechte wenkbrauwen en ingevallen kaken. Hij droeg een licht, geelbruin overhemd, een bruine pantalon en bruine linnen schoenen. Hij was reservemajoor en had de naam dat hij bij een nachtelijke aanval tijdens de Sinaï-veldtocht achttien Egyptenaars had gedood. Hij heette Zvi Nesher en vulde de deuropening vrijwel helemaal - waardoor Nahari bijna tegen hem aan was gebotst.

In zijn linkerhand droeg hij een bruine envelop. Hij hield hem tussen duim en wijsvinger alsof hij de microben van een ziekte bevatte.

'Abramovich,' zei hij met nasale stem. 'Goedemorgen.'

Levi Abramovich tuurde door de kleine kamer naar hem. Zijn ogen knipperden.

'Gaat het goed met je vrouw?' vroeg Nesher.

Abramovich antwoordde met een bedeesde glimlach.

De scheve mond gaf de glimlach een gruwelijke aanblik. Nesher keek naar die glimlach en deed moeite, zijn blik niet af te wenden. Hij moest zich voorhouden dat het gezicht dikwijls anders was dan de mens. Het gezicht van deze man gaf gegarandeerd alle mogelijke verkeerde signalen. Daarom wendde hij zijn blik niet af, al zou hij het graag willen.

Hij trok een stoel naast het bureau en ging zitten.

'En de baby?' vroeg hij, terwijl hij zijn best deed om vriendelijk te klinken.

'Een wolk van een jongen.' Van de uitpuilende nattevogelogen zou men eventueel een uitdrukking van geluk kunnen aflezen.

'Een zoon is een zegen,' zei Nesher voorkomend.

Levi Abramovich staarde hem aan. Heel even trok er een waas over zijn open ogen en zag hij niets meer. Toen keerde het gezichtsvermogen terug en hij knikte langzaam.

'Ik heb drie zoons,' zei Nesher. 'Ze zijn een groot geluk voor me.' Hij zei het onhandig. Hij voelde zich niet op zijn gemak met liefdesverklaringen aan zijn familie in het bijzijn van Levi Abramovich.

In de uitgescheurde mondhoek van Levi Abramovich trilde een spier. Hij zei zachtjes: 'Dat zij gezond mogen zijn!'

Nesher deed zijn mond open, en toen snel weer dicht. Uit gewoonte en niet uit geloof had hij bijna de gebruikelijke zinsnede uitgesproken: 'Met Gods hulp.' Maar hij herinnerde zich op tijd hoe Abramovich over God dacht en zei niets.

Er viel een lange, onplezierige stilte. Zvi Nesher tuurde naar de bruine envelop in zijn hand. Hij zag zichzelf langzaam de envelop op het bureau leggen. Met de duim en wijsvinger van zijn linkerhand streek hij over de hangsnor. Voorzichtig, alsof elk woord hem moeite kostte, zei hij: 'Wij zijn allemaal heel blij om je zoon, Abramovich. Wat ik nu moet doen, betreur ik. Je begrijpt wel, dat ik er niet om heb gevraagd, dit te mogen doen. Het is een taak die ik niet begeer, maar die me werd opgedragen.'

En met een dikke vinger schoof hij de envelop over het bekraste, houten tafelblad, tot hij pal voor Levi Abramovich lag. Die tuurde ernaar en knipperde met zijn ogen.

'Voor jou,' zei Nesher gespannen, terwijl hij over de hangsnor streek. 'Een erfenis. Gevonden, geïdentificeerd en naar dit kantoor gestuurd.'

Levi Abramovich keek naar beneden, naar de envelop, en knipperde weer met zijn ogen. Hij voelde dat hij begon te beven. Een streepje fel licht brandde een opening in zijn donkere plek.

Nesher bleef zitten en keek naar hem. Met ingehouden woede dacht hij: 'Een man wordt kapotgemaakt, raapt in zijn leven de brokstukken op de een of andere manier weer bijelkaar, maar onvolledig.' Er ontbreken spaanders en splinters, en dan kom ik en breek hem weer op alle oude breuklijnen en misschien op een paar nieuwe. Omdat ik het hoofd van zijn afdeling ben. Omdat niemand anders het wilde doen. Omdat ik majoor van de infanterie ben en bekend sta als onverschrokken. Omdat de wereld stompzinnig is en soms gek. Omdat God is begraven in hetzelfde kosmische gat dat ook Mithras en Zarathoestra heeft verzwolgen en alle andere stommiteiten van de mens. Waar bent U, God? dacht hij. U bent dood en begraven. Als dit niet zo was, dan zoudt U de wereld liever vermorzelen dan te laten gebeuren wat er nu gebeurt met Levi Abramovich.

'Wat zit er in die envelop?' vroeg Abramovich. Zijn stem klonk zacht, beverig.

'Iets dat jou toebehoort,' zei Nesher.

'Van mij?'

'Ja.'

'Wat is het?'

'Maak maar open.'

'Vertel het me.'

'Een horloge.'

'Ik ben mijn horloge niet kwijt.'

'Het is niet echt jouw horloge.'

'Van wie is het dan?'

'Er staat een inscriptie op.'

'Van wie is het?'

'Het is tussen veel andere gevonden in een vernietigingskamp.'

De ogen puilden nu zo uit, dat Nesher vreesde dat ze uit het hoofd zouden vallen.

'Ik wil het niet,' zei Abramovich heel zachtjes. Hij staarde naar beneden naar de envelop, en zag hoe de streep licht breder werd in zijn donkere plek.

Nesher dacht: U bent dood, God. Hoe voelt het om dood en begraven te zijn in hetzelfde graf als zes miljoen schimmelige geraamtes? Jouwen zij Uw antwoorden weg? Hij streek met de duim en wijsvinger van zijn rechterhand over de hangsnor. Hij wachtte. Hij wachtte een hele tijd. Toen dacht hij weer aan zijn volle bureau, boog zich naar voren en scheurde de envelop open.

Een minuscuul gouden damespolshorloge gleed uit de envelop en bleef op het bureau liggen. Stil en levenloos lag het tussen de twee mannen, als een naar luchtje.

Levi Abramovich staarde naar het horloge. Hij knipperde verscheidene malen met zijn ogen. Zijn lippen werden wit. De huid van zijn gezicht trok strak als een dodenmasker. De uitgescheurde hoek van zijn mond trilde nerveus.

Zvi Nesher merkte dat hij het gezicht van Levi Abramovich niet langer kon aanzien. Tijdens de Sinaï-veldtocht had hij allerlei gezichten gezien: de dode, de stervende, de doodsbange, de heldhaftige. Zelfs van de gezichten van de stervenden had hij zijn blik niet afgewend. Nu wendde hij zijn blik af van het gezicht van Levi Abramovich.

U bent dood, God, dacht hij. U bent diep in de aarde begraven.

Hij stond op.

'Het spijt me,' zei hij moeilijk. 'Ik wou dat ik niet degene was geweest, die je dit moest geven. Ik had geen keus.' Hij aarzelde en voegde er toen snel aan toe: 'Het doet het nog. Ik weet niet waarom ik het heb opgewonden, maar ik merkte dat het nog steeds loopt. Het spijt me als ik je hier op de een of ander manier mee heb gekwetst.'

Hij draaide zich om en liep snel het vertrek uit.

In de stilte die volgde, bleef Abramovich roerloos naar het horloge zitten staren. Hij voelde hoe de donkere plek van binnen openscheurde. Herinneringen wervelden in bevroren derwisjdansen voor zijn opengesperde ogen. Een enkele verkrampte siddering trok door zijn magere lijf. Uit zijn scheve mond kwam een lange, zachte jammerklacht.

Zijn uitpuilende ogen hechtten zich aan het horloge. De kleine secondewijzer draaide in een trage kring. Hij herinnerde zich andere ogen die vol verwondering naar de gestage kringloop van de draaiende wijzer hadden gekeken. *Het is zo mooi, het horloge, ik verdien het niet. Kijk eens hoe de zon in het goud weerkaatst. Je bent zo goed voor me, mijn Levi, mijn man. Kijk toch eens hoe die wijzer blijft ronddraaien. Wat is Gods wereld toch vol wonderen...*

Ze had het horloge gedragen toen de soldaten hen kwamen halen.

Als er maar één in leven was gebleven, hadden we erover kunnen praten, dacht Levi Abramovich nu en hield zich krampachtig overeind. Als iemand had overleefd, had het praten een troost kunnen zijn, als de een had geweten waarover de ander het had. We hadden kunnen praten over de put met de stenen muur, buiten, over het vlakke dal en over de kolossale kerel die de zaagmolen bediende en planken door de zaag voerde en het huis binnenstampte om het zaagsel van zijn gezicht te vegen, waarvan stukjes in zijn stoppelbaard en in zijn lange neusharen bleven zitten. We hadden kunnen praten over de groene en purperen heuvels en de herten in het bos en de honden van de *paritz* in de buurt die waren getraind om joden met dezelfde felheid te haten als hun Poolse baas. We hadden kunnen praten over de feesten en de reizen naar de stad om de rebbe te ontmoeten. We hadden kunnen praten over de bevroren helling achter het huis waar de jongens hadden gesleed op planken die ze meebrachten van de zaagmolen, en over de wandelingen naar de synagoge, een kilometer verderop. Nu was er niemand om mee te praten. Wie was er om mee te praten?

Wat is Gods wereld toch vol wonderen...

Wat is Gods wereld toch afzichtelijk, dacht hij nu. Hij merkte dat hij tegen het horloge praatte. Bouw geen brug voor me naar het verleden. Wou je beweren dat ik me nog kan verbinden met het moment waarop jij ophield met tikken? Wou je dat ik de jaren vergeet die me van een man in een groteske figuur hebben veranderd? Geef je me een nieuwe kans om zin te vinden in je cirkelgang? *Wat is Gods wereld toch vol wonderen...* Stop, zei hij zwijgend tegen het gouden horloge. Stop, smeekte hij het gouden horloge in stilte. Hij voelde hoe hij zich helemaal concentreerde op de dunne secondenwijzer. In zijn hals vol littekens klopten de aderen zichtbaar. Versteend zat hij op zijn stoel en tuurde in de herinneringen die als een nevel naar buiten stroomden. *Stop!* kermde hij in stilte. *Een mysterie heeft geen betekenis!*

David Nahari kwam zachtjes het vertrek binnen en ging weer achter zijn bureau zitten. Hij kon zich er niet toe brengen naar het gezicht van Levi Abramovich te kijken. Hij verschoof doelloos wat papieren. Toen bleef hij heel stil zitten, en zonder iets te zien staarde hij naar de passage die hij eerder die ochtend had zitten vertalen.

Levi Abramovich keek naar hem.

'Jij wilt me vertellen dat het de mysterieuze wil van God is.' De stem was een bevende fluistering.

David Nahari's gezicht bleef uitdrukkingsloos. Hij wilde niet met Abramovich over God praten. Maar innerlijk richtte hij zich tot God en dacht: Heer der Wereld, ik aanvaard Uw wil. Maar waarom maakt U het zo moeilijk?

'Je bent een dwaas,' zei Levi Abramovich met een stem die van inspanning bijna ruw klonk, 'en je God ook.'

Met een abrupte beweging griste hij het horloge van het bureau en liet het in het borstzakje van zijn overhemd glijden. Hij stond op.

'Als Nesher iets vraagt, zeg je maar dat ik naar huis ben omdat ik ziek ben.'

Hij wachtte niet op een antwoord. Hij hinkte snel het kantoor uit.

Pas aan het einde van de wandeling door de koele gangen van het stenen gebouw slaagde de donkere plek van binnen erin het felle licht weer te temperen.

Er is nu niemand om mee te praten, dacht Levi Abramovich terwijl hij uit het gebouw het zonlicht binnenstapte. Er is zelfs geen God om mee te praten, dacht hij en probeerde dit kalm te denken, maar dat mislukte jammerlijk. Moet ik na de geboorte van mijn vijfde zoon worden herinnerd aan mijn andere vier? Waarom? Om me te laten zien dat wat eens zinvol was, ondanks het kwaad zinvol kan worden? Heb ik hierop gewacht? Heb ik gewacht tot de doden terug werden gebracht? Heer der Wereld, dacht hij en richtte zich rechtstreeks tot het voorwerp van zijn gedachten, als U echt bestaat, dan bent U machteloos en wreed. Als U wel in staat maar niet bereid bent, kwaad te voorkomen, dan bent U wreed. Als U wel bereid, maar niet in staat bent kwaad te voorkomen, hebt U geen macht. En als U ertoe bereid en in staat bent, waarom is er dan kwaad? Want het was een kwaad, me het horloge te sturen. Kent U me dan zo slecht, dat U het verleden meende te kunnen gebruiken om het heden zinvol voor me te maken? Hebt U geen besef van het duister binnenin me? Weet dat ik U nu haat, dacht hij en richtte zich nog steeds tot het voorwerp van zijn gedachten. En zelfs niet met de haat van Job, want ik haat U zonder hartstocht. Ik haat gewoon, kil en kalm, zoals een vuurvliegje gloeit zonder hitte. Ik geloof met een volmaakt geloof dat U mijn volmaakte geloof onwaardig bent. Elke verdere gedachte aan U is verspild.

Later, toen hij door de Jaffostraat kwam, reed hij de scooter in een steeg vol auto's, scooters, arbeiders en blinde bedelaars. Hij stapte af en hinkte de straat door, het horloge hield hij bij het gouden bandje, zonder ernaar te kijken. Hij meende dat hij het voelde tikken. Hij hield stil voor een blinde bedelaar die gehurkt op de straat zat en keek naar de waterige vloeistof in de hoeken van de nietsziende ogen. Hij liet het horloge in de nap vallen en hinkte vlug weg. De zon scheen helder en zijn ogen deden pijn.

Ik heb ogen, dacht hij en voegde zich met de scooter in de dichte verkeersstroom op de Jaffostraat. Laten mensen die geen ogen hebben maar tegen een tikkend horloge praten. Ik wil geen licht uit het verleden in mijn helder ogende duisternis. Ik ga naar mijn eerstgeboren zoon. Heer der Wereld, ik haat U. Weet dat ik U haat. En ik haat Uw bedrieglijke cadeautjes waarvan U wilt dat ik ze tot een licht voor mijn blindheid maak. En nu, dacht hij, zal ik U vergeten, want U bent zelfs mijn haat niet waardig. Ik wacht niet langer. Slechts zwak, als een nasmaak, was er een gevoel van spijt.

De bedelaar verkocht het horloge en leefde een maand van het geld dat het had opgebracht; al die tijd vroeg hij zich af van wie het was geweest en hoe het in zijn nap was terechtgekomen. Het was een oude bedelaar en hij beschouwde het horloge als een meevaller. Hij was niet godsdienstig, dus hij had geen behoefte iemand speciaal te bedanken. Toen het geld op was, keerde hij terug naar het trottoir, naar zijn eigen donkere plek.

De twee soldaten

Ik wil u het verhaal vertellen van de aankomst van mijn oom in onze straat. Hij was per stoomschip van Jaffa naar Alexandrië gereisd, en van daaruit verder naar Napels, Southampton en New York. Hij arriveerde op een even abrupte als wonderlijke manier, in een jaar dat de weken van Chanoeka en Kerstmis samenvielen. Dit was in het begin van de jaren dertig. Ik herinner me nog hoe ons straatje in Brooklyn, met zijn drie verdiepingen tellende huizen van bruinrode zandsteen, zijn kale platanen en zijn mengeling van joden, Ieren en Italianen, versierd was met ramen vol lichtjes van de menoures en kerstbomen. We liepen dat jaar met opgeheven hoofd en probeerden ons zo door die moeilijke en donkere tijd heen te slaan.

Op een vroege ochtend in december keek ik door mijn raam naar Tommy 'de Sintel' Farrel, die zijn speciale sneeuwballen stond te maken. De meeste jongens uit de buurt noemden hem 'de Sintel' vanwege de wijze waarop hij deze sneeuwballen maakte. Hij pakte sneeuw rond een sintel - een effectief wapen in de speelse sneeuwbalgevechten in onze straat, maar zeer pijnlijk als je in het gezicht werd geraakt. Hij woonde alleen met zijn vader in het huis naast het mijne. Het ware vrome katholieken. Niemand scheen iets te weten over zijn moeder. Zijn vader maakte lange dagen in een garage in Manhattan.

Tommy was 14, drie jaar ouder dan ik, was gespierd en had harde, hoekige trekken, donkere ogen en donker, wild haar. Hij leek altijd boos. Bijna alle mysterieuze ongelukjes bij ons in de straat werden aan hem toegeschreven - een ingegooide ruit, een kapotte straatlantaarn, een omgegooide vuilnisemmer. Op een keer, in een van zijn zeldzame openhartige buien, had hij me verteld dat hij zat te wachten tot hij oud genoeg was om het leger in te gaan. Hij wilde officier worden, misschien wel generaal. Het idee dat iemand generaal wilde worden lag zover buiten de grenzen van mijn zorgvuldig vormgegeven geloofswereld, dat ik me dit niet eens kon voorstellen. Een generaal! Niemand die ik kende geloofde dat er ooit iets terecht zou komen van Tommy Farrel.

Door onze besneeuwde straat kwam die decembermorgen een grote, stevige man aanlopen in een bruine overjas en met een gleufhoed, waarvan de rand omlaaggeslagen was. Hij droeg twee grote koffers en liep met een snelle, lichte tred. Ik zag dat hij Tommy 'de Sintel' Farrel aansprak. Die knikte, en wees naar de ramen van onze flat. De man keek omhoog en ik kon zijn ogen zien. Een ogenblik later stond hij bij ons voor de deur.

Het was de jongste broer van mijn moeder, een soort legende in onze familie. Begin jaren twintig was mijn moeder uit Polen naar Amerika gekomen; haar broer was naar Palestina gegaan. Zo nu en dan tijdens al die jaren kregen we bericht over hem. Hij woonde een tijdje in een kibboets, en was toen naar Tel Aviv verhuisd. Nu woonde hij in Jeruzalem. Op de vragen van mijn moeder naar wat hij deed, antwoordde hij vaag. Het ging goed met hem, hij deed werk dat gedaan moest worden, ze hoefde zich geen zorgen te maken. Hij leek op de een of andere wijze te zijn verbonden aan de regering in Palestina en was erg veel op reis. En nu was hij hier, in onze flat, ineens, zonder waarschuwing, groot, breed glimlachend. Hij bracht de koude straatlucht mee naar binnen maar, wonderlijk genoeg, tegelijkertijd - of was het mijn verbeelding? - de warmte en het licht van zijn verre land.

Mijn moeder, wier mooie gezicht verbazingwekkend veel van het zijne weerspiegelde, huilde van geluk. Mijn vader, in hemdsmouwen en met zijn grote zwarte keppel op, schudde hem de hand en omhelsde hem daarna; zij ontmoetten elkaar voor de eerste keer.

Waarom had hij niet geschreven dat hij kwam? Ging het goed met hem? Het ging uitstekend met hem, uitstekend. Hij zocht een rustige plek, waar hij een tijdje kon blijven, voor een bijzondere opdracht. Zonder ophef. En zonder vragen. Dus waar had hij beter heen kunnen gaan dan naar zijn familie?

Hij sprak met een zachte, charmante stem - de stem van mijn moeder - en met een warme, innemende glimlach. Ik luisterde vol ontzag naar die vreemde melodieën van zijn Engels met een Brits accent en staarde gefascineerd naar zijn zandkleurige haar en naar zijn lichtblauwe ogen die de hemel in zijn land leken te weerspiegelen.

Mijn vader zette een veldbed in mijn kamer. De aanwezigheid van mijn oom bracht me helemaal in vervoering. Het gerucht ging snel rond en het begon te gonzen in de straat. Uit het land Israël! Uit Palestina! Vrienden kwamen op bezoek. Mijn oom bracht hen in vervoering met zijn verhalen.

Zelfs Tommy 'de Sintel' Farrel leek onder de indruk van de aanwezigheid van mijn oom in onze straat. Die middag hield hij me staande. Was het waar? Uit Jeruzalem, de stad waar Jezus was gekruisigd? Ja, het was waar. Hij floot en slenterde weg. Hij woonde vlak naast iemand uit Jeruzalem!

Mijn oom vertelde maar al te graag verhalen over dat verre land - sommige fabelachtig, andere waar gebeurd. Tijdens zijn maaltijden met ons vertelde hij ons vaak over het drooggleggen van de moerassen, het aanleggen van wegen, het bouwen van scholen, ziekenhuizen, theaters. Een piepjong land werd daar geboren, zei hij, en er moest erg goed voor worden gezorgd en ook moest het op een bijzondere wijze worden beschermd. Alleen met mij op mijn kamer verhaalde hij vaak van de heilige mannen en heilige plaatsen in dat land, over zwervers en pioniers, dromers en krijgslieden. Het grootste deel van de tijd hoorde ik nauwelijks wat hij zei, zo mooi vond ik de muziek in zijn stem.

Op de allereerste avond dat hij bij ons was, had ik bemerkt dat wanneer hij de Chanoeka-menoure aanstak, de kleine kandelaar waarin de kleine feestkaarsen worden gezet, hij geen van de lofzeggingen zei. Dat verbaasde me. Omstreeks de derde dag realiseerde ik me dat hij op ongebruikelijke uren wegging en thuiskwam. En op een dag stond hij in het donker op, kleedde zich snel en stilletjes aan en verliet de flat. Door mijn raam zag ik hem in een grote, zwarte auto stappen, die meteen wegreed. Bij het ontbijt was hij er niet.

'Waar ging oom Naftaniël midden in de nacht heen?' vroeg ik mijn ouders.

'Jij hoort midden in de nacht te slapen,' zei mijn vader zacht.

'Hij moet belangrijk werk doen,' zei mijn moeder. 'En sommige dingen kun je het best 's nachts doen.'

'Wat oom Naftaniël doet, is dat gevaarlijk?'

'Ja,' zei mijn vader. 'Dat is gevaarlijk.'

En toen: 'Eet alsjeblieft je ontbijt,' zei hij. 'Alsjeblieft.' Mijn moeder keek een andere kant op en zweeg.

Op straat hield Tommy 'de Sintel' Farrel me staande. 'Waar ging je oom gisternacht heen? Ik heb hem vanuit mijn raam gezien.'

'Ik weet het niet.'

'Het is een fijne vent, die oom van je. Hij kent een paar mooie verhalen.'

Ik keek hem na toen hij met soepele tred wegliep, met grote passen en slungelachtig, alsof de straat van hem was. Een generaal!

De weken gingen voorbij. Op een ochtend vertrok mijn oom in alle vroegte, bleef de hele dag en avond weg en kwam pas in het donker van de volgende ochtend weer terug. Ik hoorde hem met mijn vader praten. Ze praatten een hele poos. Hij kwam mijn kamer binnen, kleedde zich uit en ging op het veldbed liggen. Het was kil op de kamer, vanwege de lage stand 's nachts van onze radiator. Ik hoorde hem zuchten. Toen begon hij in het donker zacht een gemakkelijk in het gehoor liggend, klagelijk deuntje te neuriën. Ik bleef doodstil liggen luisteren en herinnerde me dat mijn moeder dit lied ook zong toen ik nog klein was. Een slaapliedje uit hun geboorteland? Zong hij het ook voor zijn kinderen in Jeruzalem? Waarom was hij met Chanoeka zo ver van zijn gezin? Hij klonk nu eenzaam in het duister van de kamer, de enige persoon in onze straat zonder gezin, bijna net als Tommy 'de Sintel' Farrel, wiens vader hard werkte en bijna nooit thuis was. Na een tijdje hield het neuriën op. Ik hoorde hoe mijn oom zich luidruchtig in zijn veldbed nestelde. Het duurde lang voordat ik insliep.

De volgende ochtend zag ik door mijn raam mijn oom praten met Tommy 'de Sintel' Farrel. Ik liep het huis uit, de koude lucht in. Ze keken me aan.

'Zo, goedemorgen, Joni,' zei mijn oom vrolijk. Zijn ogen waren heel blauw onder de omlaaggeslagen rand van zijn gleufhoed. 'Je hebt een hele tijd geslapen. Thomas en ik stonden net te praten over Chanoeka en Kerstmis. Ik vertelde Thomas over onze strijd voor de vrijheid van godsdienst, tweehonderd jaar voor Christus, en dat als de Makkabeeën toen niet hadden gewonnen, er geen joden over waren geweest om Jezus geboren te laten worden. Zo is het toch, Thomas?'

'Ja, meneer,' zei Tommy 'de Sintel' Farrel eerbiedig.

'We hebben een paar keer leuk gekletst, Thomas en ik,' zei mijn oom.

Ik keek hen aan. Er lag een lichte blos op Tommy 'de Sintel' Farrels wangen. Hij leek geïmponeerd en in verlegenheid. Even was het stil.

'Luister, jongens,' zei mijn oom met een plotseling

breder wordende glimlach. 'Ik ben vanochtend in een goede bui. Het verblijf in jullie straat was schitterend. Schitterend! Ik wil jullie tracteren op een glas warme chocolademelk in de snoepwinkel. Hoe vinden jullie dat? Of heb je liever - hoe noemen jullie dat? - een eierdrankje? Kom op!'

Die avond staken mijn oom en mijn vader hun menoures aan. De kaarsen stonden te branden tegen het donker van het raam van de huiskamer. Mijn oom hield zijn hoofd een hele tijd in zijn handen, de ogen gesloten.

Twee dagen na Chanoeka vertrok hij weer, maar niet na eerst Tommy 'de Sintel' Farrel goedendag te hebben gezegd. 'Ze hebben een mooie boom,' mompelde hij. 'Thomas heeft hem versierd. Hij vertelde me dat de priester had gezegd dat de boom een symbool was voor onsterflijkheid en het kruis. Dat wist ik niet. Ik vertelde hem dat toen de Makkabeeën de Tempel schoonveegden van de heidense vereringen, ze waarschijnlijk de schachten van hun speren gebruikten om een menoure te maken. Licht uit wapens. We hebben informatie uitgewisseld, zogezegd. Nou. Tot ziens, Joni. Hou je haaks. Bedankt dat ik van je kamer gebruik heb mogen maken.' Hij schudde mijn vader de hand en omhelsde mijn moeder. Ik voelde zijn zoen op mijn wang en zag heel even zijn ogen, vochtig en blauw onder de omlaaggeslagen rand van zijn gleufhoed. Aan de rand van de stoep wachtte een auto. En weg was hij.

Van tijd tot tijd kregen we een brief van hem. En van tijd tot tijd vroeg Tommy 'de Sintel' Farrel naar hem. Tijdens de Tweede Wereldoorlog kregen we geen brieven, maar kort daarna weer wel. Hij reisde nog steeds, schreef hij. Het werk leek eindeloos. Hij herinnerde zich onze straat, schreef hij, en hij zou proberen, er ooit nog een keer terug te komen.

Maar op de een of andere manier is dat er nooit van gekomen. In het bijzonder rond de tijd van Chanoeka en Kerstmis denk ik aan hem, met zijn bruine overjas en gleufhoed, op reis, op reis, voor zijn geheime militaire missies, door de winteravonden, die een beetje werden verlicht door de kaarsjes en bomen van de breekbare hoop der mensheid.

De talenten van Andrea

De klok boven het raam in Merion Station gaf 3.18 h aan. Andrea pakte haar kaartje en haar wisselgeld. De beambte, een gezette man van middelbare leeftijd met een kalend hoofd en een zonneklep, zei: 'De trein komt later, liefje.'

'Later? Hoeveel later?'

Hij bekeek haar door het traliewerk. Ze nam deze trein al een jaar of vier en hij kende haar opvattingen over tijd. Diep in zijn hart was hij altijd verbaasd over de evenwichtige houding van het meisje: het hoofd rechtop geheven, als een gracieuze, lichtvoetige hinde.

Hij zei: 'Weet ik niet. Misschien vijf minuten. Misschien meer.'

'Dank u.'

'Neem me niet kwalijk dat ik het zeg, maar u ziet er vandaag een beetje moe uit.'

Ze glimlachte flauwtjes. 'Ik ben lang opgebleven om te studeren.'

Ze tilde haar linnen schooltas op en stapte opzij. De klok boven het raam gaf 3.19 h aan toen Andrea naar buiten liep, het perron op. Het was een koele middag in oktober en er stonden veel studenten te wachten, sommigen praatten luid. Andrea stond apart van de anderen en keek zwijgend uit naar de trein.

Tien minuten verstreken.

Ze kon zich niet herinneren dat de trein bij goed weer ooit tevoren zo laat was geweest - niet in de vier jaar dat zij ermee naar de studio ging. Drie haltes, negen minuten. In haar al te levendige fantasie zag ze de trein ergens ontspoord op zijn zij liggen, met draaiende wielen en passagiers die naar buiten stroomden. Even voelde zij zich opgelucht: geen trein, geen les, geen gesprek met mevrouw Rikud. Ze wist dat het een kinderachtig, beschamend gevoel was en ze verdrong het snel. Ze stelde zich voor hoe ze met mevrouw Rikud zat te praten in de studio, ze zag het magere danserslichaam van haar lerares, de blik in haar donkere amandelvormige ogen terwijl ze luisterde. Op dat moment voelde ze weer die vreemde, vage, deinende duizeling die haar soms beving voor een studiosessie.

'Weer duizelig?' zou haar moeder zeggen. 'Je maakt jezelf te druk, Andrea.'

'Je moet wat eten, schat,' drong haar vader dikwijls aan. 'Het is niet goed, zo lang zonder eten.' Maar ze kon niet eten voor het dansen. Ze tuurde langs de rails naar de bocht in de verte. Waar bleef de trein?

Ze hoorde enkele studenten op het perron in lachen uitbarsten. Jongens met keurige pantalons, blazers, overhemden en stropdassen. Ze hadden het over de rugbywedstrijd die ze zaterdagmiddag hadden gespeeld. Soms, in het weekeind, keek ze een paar minuten naar hun spel. Als ze tijd had.

Ze nam de linnen tas van haar rechter- in haar linkerhand en dwong zich aan de schoenen erin te denken. Roze, zacht en versleten door gebruik. In haar verbeelding voelde zij ze aan haar voeten, voelde zij de luchtstroom langs haar gezicht tijdens een pirouette, opwaarts in een grand jeté. Ze zag de kleuren van de dans: rood, paars en oranjestreken getemperd door blauw. De dans stond op het doek op haar ezel. Er was zoveel dat ze wilde schilderen. Zoveel dat ze wilde doen. En nooit genoeg tijd.

Ze liep het station weer in, naar het kaartjesloket. De klok boven het raam gaf 3.33 h aan.

'Hij is opgehouden in Center City. Kwaad worden helpt niet,' zei de beambte.

'Ik kom niet graag te laat.'

'Hij zal zo wel komen.'

'Ik mag vandaag niet te laat komen.'

Ze liep weer naar buiten, het perron op en bleef staan wachten, alleen.

Toen haar moeder, die filosofie doceerde op het Bryn

Mawr College, die ochtend naar school reed, had ze gevraagd: 'Andrea, ben je wel in orde? Ik vind dat je er niet zo goed uitziet.'

'Ik vind nooit dat ze er goed uitziet,' zei haar veertien jaar oude broertje vanaf de achterbank.

'Je werkt veel te hard,' zei haar moeder.

'Mam, haal je me op na het worstelen?' vroeg haar broer.

'Ik haal je op na mijn faculteitsvergadering. Andrea, ben je wel in orde?'

'Ik wil geen keuze hoeven maken,' zei Andrea heel zachtjes terwijl ze uit het raam keek naar de herfstige bomen. 'Waarom kom ik voor alles altijd tijd tekort?'

'Waarom?' zei haar moeder. 'Waarom huilen baby's? Waarom worden mensen oud en gaan ze dood? Waarom worden meisjes van zestien volwassen? Waarom?'

Nu vloog boven haar hoofd een vlucht vogels naar het zuiden, ze vormden een speer tegen de diepblauwe hemel. Ze keek hen na, met een zweem van jaloezie. Misschien had ze wel tijd om een schets op te zetten. Ze zette de linnen tas op het perron, ritste hem open en stak haar hand erin.

Op dat moment hoorde ze de trein. Hij kwam snel door de bocht en reed met veel kabaal het station binnen. Het zou er toch nog van komen, haar gesprek met mevrouw Rikud.

Ze stapte de ijzeren treden op, de trein in en ging bij een raam zitten. Even gingen haar gedachten terug naar het voorbije ogenblik en ze stelde zich voor dat ze nog steeds op het perron stond te wachten. Lang haar, donkere ogen, bleek ovaal gezicht, haar lange, lenige gestalte gestoken in een spijkerbroek en een grijze wollen trui. Wachtend. Op het perron hadden jongens zich omgedraaid om naar haar te kijken. 'Wat een mooi gezicht,' zei haar vader dikwijls als hij haar tegen zich aan drukte. Ze wendde haar blik af van het raam en pakte haar script van *Watch on the Rhine*. De trein kwam op gang en bewoog ritmisch. Ze sloeg het deel van de tweede acte op, waar de repetitie de vorige dag was geëindigd en verplaatste zich in haar verbeelding naar de aula van de school. Ze las stilletjes: 'Iemand vroeg me of ik het niet betreurde dat ik niet met hem was getrouwd. Ik zei: *'Madame, je le regrette tous les jours et j'en suis heureuse chaque soir.'* (FANNY richt zich tot DAVID) Dat wil zeggen: Ik betreur het alle dagen en ben er iedere nacht blij om. Begrijp je wat ik met *nacht* bedoel? Humoristische stijlen veranderen zo.'

Gedurende de negen minuten dat ze in de trein zat, las ze de passage twee keer, ze luisterde naar de stem, stelde zich de bewegingen voor. Hoe zou Fanny het Frans uitspreken? Zouden de woorden 'iedere nacht' misschien vergezeld gaan van een handgebaar, een wetende glimlach? Het was een geraffineerde, wulpse opmerking. Hoe kon je die geraffineerdheid en die wulpsheid overbrengen zonder te vervallen tot smakeloze onderbroekenlol?

Andrea zat in de trein, las de passage en voelde een heftige, gespannen blijdschap bij zich opkomen, nu ze nadacht over het karakter van Fanny. Ze was bezig een compleet en complex menselijk wezen te scheppen!

De trein minderde vaart. Ze naderden Ardmore Station. Abrupt sloeg ze het script dicht en ging naar het balkon.

Even later kwam ze het station uit en liep snel een straat in met aan weerszijden kleine, deftige winkeltjes. In de etalage van een mandenwinkel wees een klok 3.45 h aan. Ze versnelde haar pas en zag met opwinding en met een zekere droefheid uit naar de studio - de warme geuren, de geluiden, het gezicht en de stem van mevrouw Rikud - en, met een bang voorgevoel, naar het gesprek dat ze zouden hebben.

Om dertien minuten voor vier ging ze het rode, bakstenen gebouw binnen, liep langs de balie van de receptioniste, een korte trap af naar de kleedkamer. Tien minuten later was ze in de warming-up ruimte. Haar haar was geborsteld, strak weggekamd uit haar gezicht, in een knotje gespeld en onder een netje gestopt. Ze stond bij een stuk of twintig andere meisjes, deed rekoefeningen voor haar benen en rug, en mengde zich in het gesprek. Ja, ze had zondagavond *Coppélia* gezien in de Academy of Music. Ja, ze had de rol van Fanny genomen in het toneelstuk van haar school. Nee, ze had gisteravond niet naar Barbara Streisand op de t.v. gekeken. Geen tijd, niet genoeg tijd. Tijdens het spreken was ze zich bewust van de blikken die sommige meisjes op haar wierpen.

Plotseling, als op een of ander teken, pakten de meisjes hun ballettas op en dromden samen voor de studiodeuren.

Door de gesloten dubbele deuren van de studio klonk het geluid van applaus. De vijfde klas, net onder haar klas voor gevorderden, was bijna klaar. De studiodeuren werden opengeworpen. Ze liet zich door de omstanders die de studio binnenstormden meevoeren.

Nu stond ze samen met de anderen aan de barre langs de muur. Lichaamswarmte en de vochtige, weemakende transpiratiegeur die ze altijd op een eigenaardige manier prettig vond, vulden de atmosfeer. Ze keek even in de spiegel, zag zichzelf, lang en lomp, voelde zich ongemakkelijk en onbehaaglijk over haar lichaam en keek snel de andere kant op.

Midden op de studiovloer stond mevrouw Maria Rikud, een vrouw van in de veertig, nietig, bijna vel over been, haar lange, blonde haar naar achteren gekamd in een knot, haar statueske gestalte gestoken in een witte maillot. In de loop der jaren had haar studio dansers geplaatst bij gezelschappen in San Francisco, New York, Londen, Amsterdam en Tel Aviv.

Nu riep mevrouw Rikud bij de muziek van de piano met haar keelstem de passen af en gaf de maat aan door met haar vingers te knippen. 'Demi twee, demi twee. Grand twee, drie, vier. *Cambré* voorwaarts en terug.' De studio raakte gevuld met het schuifelende geluid van balletschoentjes. 'Meisjes, jullie moeten de muziek direct volgen,' zei ze op een gegeven moment en de lijn werd zichtbaar strakker, beweging werd uniform. Knip, knip, knip, knip. Benen op, naar achteren, en opzij. Alle meisjes leken samen één lichaam te vormen. Andrea danste op het ritme van het hele ensemble, gedachtenloos ging ze op in de bewegingen. Knip, knip, knip, knip. Bij de derde keer dat ze een adagiopas doornam, kreeg ze pijn in haar linkerdij. Ze negeerde het. Ze was gewend aan pijn bij het dansen. Mevrouw Rikud liet een zachte vermaning horen: 'Leslie, wat is dat nu? Wat is dat nu? Ribben bij elkaar. Zo moet het. Goed, goed.' Knip, knip, knip, knip. Draaien, combinaties. 'De timing, de timing,' zei mevrouw Rikud. 'Eén, één, één, één. Je moet de muziek direct volgen. Schitterend, Andrea.'

Met een handgebaar liet ze hen stoppen. Ze bleven zwijgend staan, in afwachting. Andrea, warm en doorweekt van het zweet, zag mevrouw Rikud naar voren lopen en naar haar toe komen. Ze zag de arm uitgestrekt worden, voelde de lichte aanraking van haar vingers op haar schouder. Op het gezicht van haar lerares lag een heel zwak glimlachje. Andrea voelde plotseling een stroom van warmte. Een blijk van hoogste goedkeuring! Ze stapte naar het midden van de vloer. De groep waarin Andrea de spil was, introduceerde en leidde de combinaties gewoonlijk. Ze was zich bewust van de zijdelingse blikken van de anderen. 'Blijf de muziek goed volgen,' zei mevrouw Rikud. 'En één en één en één en één.' Ze dansten en dwarrelden over de vloer. 'Laat me deze combinatie eens zien, Andrea. *Developpé effacé* voorwaarts, *ecarté passé*, naar vierde arabesque.' Knip, knip, knip, knip.

Later zat Andrea te wachten in het kleine privékantoortje van mevrouw Rikud. De deur ging zachtjes open en dicht. Ze stond snel op, voelde het bonzen in haar borst.

Mevrouw Rikud zei dat ze kon gaan zitten. Ze zaten samen op het bankje onder de ingelijste foto's van Anna Pavlova, Tamara Karsavina en Galina Ulanova.

'Wilde je me spreken, Andrea?'

'Ja, mevrouw Rikud.'

'Ben je wel in orde, kind? Je been?'

'Het doet een beetje pijn.'

'Je bent het de baas gebleven; ik heb er niets van gezien.'

'Dank u.'

Maria Rikud nam het meisje nauwlettend op. Ze bespeurde een ander soort letsel in haar. Het kind heeft gekozen, dacht ze en voelde hoe haar eigen letsel zich deed gelden, maar trok snel een uitdrukkingsloos gezicht, een masker.

'Wat wilde je me vertellen, Andrea?'

'Het gaat over het toneelstuk, mevrouw Rikud.'

'Ah.'

Andrea aarzelde. Ze kon het niet over haar lippen krijgen.

Maria Rikud wachtte. De stilte werd ongemakkelijk. Mevrouw Rikud ging even verzitten. 'Heb je de rol aangenomen?'

'Ja.'

Opnieuw stilte.

'Kom je nu maar een keer in de week?'

'Ja.'

'Er is geen tijd voor extra lessen?'

'De repetities...' begon Andrea en hield toen op.

Mevrouw Rikud, die haar gevoelens uit haar stem weerde, zei: 'Je hebt nog twee jaar voor de middelbare school, niet? En dan?'

'De universiteit.'

'Ah,' zei mevrouw Rikud. 'Je hebt een besluit genomen.'

Het was geen beslissing geweest. In haar familie had het nooit ter discussie gestaan. Andrea zweeg.

Maria Rikud keek aandachtig naar het gezicht van haar leerlinge. 'Dit is de moeilijkste tijd voor een jong mens,' zei ze. 'Ik weet het nog.'

Andrea was heel stil.

Maria Rikud trok haar hand terug maar bleef het meisje scherp aankijken.

'Hoe overleven we het opgroeien? Dat vraag je jezelf af? Toch? Kind, je bent niet de eerste die moet leren moeilijke keuzes te maken. Maar het is een schrale troost. Dat was het voor mij ook, toen ik zo oud was als jij. Maar toch...' Ze wachtte even. 'Ik had gehoopt...' Ze stopte en wendde een ogenblik haar gezicht af. Achter de deur van het kantoortje klonken de stemmen van de leerlingen die warm draaiden voor de les. Ze keek weer naar het meisje. Zo knap. En zo jong. 'De wereld gaat niet ten onder,' mompelde ze. 'Kijk niet zo treurig.'

Andrea zweeg stil.

'Dus,' zei mevrouw Rikud, 'we zien je voortaan alleen nog maar op zaterdag.'

'Ja.'

'Je begrijpt natuurlijk wel dat je nu niet meer mee kunt doen met de voorstelling van de klas voor gevorderden.'

'Dat begrijp ik.'

Ze strekte haar hand uit en raakte de arm van het

meisje aan. 'Tot aanstaande zaterdag, Andrea. Het is laat. Je moet nu naar huis gaan.'

'Ja. Goedenavond, mevrouw Rikud.'

'Goedenavond, mijn kind.'

Maria Rikud bleef alleen op de bank zitten en staarde naar de deur waardoor Andrea was vertrokken. Ze kon de aanwezigheid van het meisje in de kamer nog voelen. Wonderlijk, die uitstraling van dit lieflijke schepsel. Buitengewoon. Ze zou fantastisch zijn geweest, dacht ze en voelde een pijnlijke leegte in zich opkomen. Ze heeft de bevalligheid, dacht mevrouw Rikud, en een sterke wilskracht. Maar ze heeft een te goed stel hersens. Ze heeft een rijker klimaat nodig dan de dans haar kan bieden. Wat jammer. Je raakt te zeer betrokken, Maria. Maar toch, wat is het jammer dit meisje kwijt te zijn.

Buiten in de donkere straat liep Andrea snel naar het Ardmore Station. De tranen stroomden over haar gezicht. Onder het lopen zag ze het gekwelde gezicht van Maria Rikud duidelijk voor zich. Ze had van dit soort eindes gehoord, had in boeken gelezen over gedane keuzes en de prijs die daarvoor was betaald. Maar ze had het nooit eerder aan den lijve ervaren. Betekende volwassen worden werkelijk dat je steeds moeilijkere keuzes moest maken? Op dat moment had ze niet het gevoel dat het idee van volwassen worden haar erg aanstond.

De trein naar huis was op tijd.

Om zeven uur was ze thuis. In de vestibule riep ze een groet naar haar vader, daarna douchte ze en at in haar eentje. Om acht uur zat ze in haar kamer en was ze aan haar huiswerk begonnen. Ze merkte dat ze het donkere, droeve gezicht van mevrouw Rikud maar niet kwijt kon raken. Ze maakte haar huiswerk af en pakte het script van *Watch on the Rhine*.

Andrea's vader, die in zijn studeerkamer zat te werken aan een stuk dat hij binnenkort op een congres moest voordragen, hoorde een tijdje later toevallig Andrea's stemgeluid. Andrea sprak met de stem en intonaties van een veel oudere vrouw. Hij hoorde haar zeggen: 'Een Roemeense diplomaat heeft iets krankzinnigs. Iets volslagen krankzinnigs. Ooit heb ik er nog een gekend. Hij wilde ook al met me trouwen.' Daarna antwoordde ze met een andere stem en op een andere toon: 'Heel Europa.' En de eerste stem klonk weer: 'Niet heel. Een deel. Natuurlijk, ik was rijk, ik was geestig en van zeer goede familie. Ik was knap, spontaan, begeerlijk, een goede partij voor wie hoge eisen stelde.' Vervolgens hoorde hij haar enkele zinnen uitspreken met, naar hij aannam, een mannenstem.

Hij luisterde, in de war gebracht. Toen kwam hij uit zijn stoel overeind en liep naar een van de boekenkasten die de muren van zijn studeerkamer van de vloer tot het plafond bedekten en pakte zijn exemplaar van *Watch on the Rhine*. Hij had een paar jaar geleden lesgegeven over het stuk en vond de passage meteen. Hij las haar, sloot het boek en zette het terug op de plank. Lillian Hellman zou het er niet mee eens zijn, zei hij bij zichzelf. Hoewel, misschien toch. Andrea voltooide, in haar eigen woorden, delen van de Fanny-dialoog waarin Fanny in de rede wordt gevallen door andere personages uit het toneelstuk. De woorden 'begeerlijk, een goede partij voor wie hoge eisen stelde' kwamen niet eens in het toneelstuk voor. Zo creëer je een compleet personage, dacht hij. Zo gebruik je je hersenen. Hij ging weer aan het werk.

Later op de avond verliet hij zijn studeerkamer, liep door de gang en klopte zachtjes op de half openstaande deur van de kamer van zijn dochter. Hij hoorde niets. Hij klopte opnieuw. Nog steeds niets. Langzaam duwde hij de deur verder open en tuurde naar binnen.

Zoals meestal zag de ruime kamer er piekfijn uit. Platen aan de muur: een prent met dansers van Picasso; de poster van Harvey Edwards met gedragen balletschoentjes; haar eigen schilderijen - een landschap in Maine dat ze afgelopen zomer had geschilderd, een stilleven, het portret van een schoolkameraad.

Andrea stond op blote voeten voor haar ezel. Haar lange haar zat in de war. Haar bloes was uit haar spijkerbroek gekropen. Ze stond met een penseel in haar hand. Op haar gezicht lag een uitdrukking van intense, uitbundige vreugde.

Op de ezel stond een doek. Andrea, die plotseling zijn aanwezigheid gewaar werd, draaide zich om en keek hem aan.

'Ik stoor,' mompelde hij en keek naar het doek. 'Neem me niet kwalijk.'

'Het is af, pap.' Ze knipperde met haar ogen alsof ze net was teruggekeerd van een lange reis. 'Waar heb ik mijn horloge gelaten? Is het al erg laat?'

'Ja.' Hij stond nog steeds naar het doek te kijken. 'Het is mooi, Andrea.'

Het schilderij, uitgevoerd in acrylverf, stelde een ballerina voor die danste op een donker podium voor een lichtgevende wijzerplaat zonder wijzers. Hij voelde zich overweldigd door de intensiteit van het werk, het picturaal spel van warme en koele kleuren.

Ze stonden er samen naar te kijken.

Hij hoorde haar zeggen: 'Pap?' en keek haar aan.

'Ik heb met mevrouw Rikud gesproken,' zei ze.

Hij zweeg.

'Ik heb haar gekwetst,' zei ze.

'Wat naar.'

'Ik vond het afschuwelijk die keuze te maken. Ik wil nooit meer zo'n keuze hoeven te maken.'

'Dat kan ik me voorstellen,' zei hij, strekte zijn arm uit en drukte haar tegen zich aan.

Ze vroeg: 'Heb je je stuk af?'

'Niet helemaal. Nog een uurtje of zo.'

'Tijd,' mompelde ze, haar hoofd tegen zijn borst. 'Tijd, tijd, tijd.'

'Ja,' zei hij. 'Tijd.'

'Maar,' zei ze terwijl ze achteruit stapte en glimlachte, 'we overleven het wel. "We zijn niet van suikergoed gemaakt."'

Ze moesten daar zachtjes om lachen, de slotzin van *Watch on the Rhine*.

Beneden in de vestibule nam de staande klok een ratelend aanloopje en begon met zware klank te slaan. Ze stonden samen te luisteren. Twaalf slagen die de kamers, gangen en afgelegen hoekjes van het huis vulden. De lucht trilde licht en resoneerde bij deze zachtjes weergalmende, middernachtelijke herinnering aan het einde, en het begin van alle dingen.

Op afstand

Gershon Loran en zijn vrouw probeerden vanuit hun hotelkamer in Inverness Jeruzalem te bellen. Het duurde meer dan een half uur voordat ze van de internationale centrale een lijn kregen. Toen eindelijk de verbinding tot stand kwam, werd er niet opgenomen.

Met hun zoon gingen ze naar buiten om een wandeling te maken en de Town Hall te bezichtigen met de balk uit het fort van Cromwell en de gebrandschilderde ramen met heraldische voorstellingen en, na de Town Hall, het Museum en het Kasteel. Via een voetgangersbrug staken ze de Ness over, liepen langs St. Andrew's Cathedral en het Eden Court Theatre.

De jongen, een tiener, atletisch en ongeduldig, liep enkele keren energiek door de vreemde straten voor zijn ouders uit, sloeg een hoek om en was een ogenblik verdwenen, haalde hen toen stilletjes in en passeerde hen weer. De lucht was grijs van de motregen. In de vroege avond waren de straten vrijwel uitgestorven. Ze dineerden in een klein, aardig restaurant langs de rivier, en keerden terug naar hun hotel.

Gershons vrouw vroeg opnieuw een gesprek aan. In hun kamer bleven ze wachten totdat ze van de centrale een overzeese lijn kregen. De centrale belde en zei tegen Gershons vrouw dat in Jeruzalem niet opgenomen werd.

Gershons vrouw hing de hoorn op de haak.

'Ze is waarschijnlijk in het ziekenhuis,' zei Gershon.

Zijn vrouw keek naar de telefoon en zweeg.

Ze gingen naar bed. De volgende dag reden ze bijna drie uur in hun huurauto door de regen en de mist naar de herberg in de West Highlands.

Gershon probeerde verbinding te krijgen vanuit hun kamer in de herberg. Een uur later belde de centrale en zei dat er niet werd opgenomen.

Gershon belde opnieuw na het avondeten. Dit keer liet de centrale om een of andere reden de lijn open en kon hij de telefoon aanhoudend horen overgaan. Hij stelde zich voor hoe keer op keer de stilte in de flat werd doorboord, met echo's die tussen de muren heen en weer kaatsten. Toen viel de lijn stil. Hij hing de hoorn op.

Een groot deel van de volgende dag besteedden ze aan een autotocht naar Glencoe en Inverary, door de in mist gehulde hooglanden; ze kwamen ongeveer twee uur voor het avondeten terug in de herberg.

Gershons vrouw vroeg vanuit hun kamer opnieuw een gesprek aan en nestelde zich met een paperback-uitgave van Tillie Olsens *Silences* in de fauteuil bij het raam, en wachtte tot de centrale haar terugbelde. Gershon en de jongen gingen naar beneden voor een partijtje snooker.

Ze speelden meer dan een uur. Tegen het einde van het spel lag de enig overgebleven rode bal gevangen achter een gele en een groene. Gershon probeerde een bandstoot, maar miste. Hij keek hoe de glimmende, witte bal over het laken rolde en vlakbij de rode bleef liggen.

Zijn zoon krijtte zijn keu, tikte de rode bal in een hoekzak, werkte handig de gele en de groene weg, miste een stoot en knalde de bruine bal toen recht in de zak aan het midden van de lange kant.

Gershon stond bij een raam naar zijn zoon te kijken en probeerde zich in te leven in het lenige, gespierde lijf van de jongen: jeugdige kracht en soepele motoriek, de bevalligheid van opbloeiend leven. Hij draaide zich om naar het raam.

De herberg lag aan het eind van een oprijlaan van grind, ongeveer halverwege de helling van een heuvelrij, tussen het meer, enkele lager gelegen weiden en een met verschillende soorten sparren begroeide top. Een rij grote, zilverachtige berken vormde een soort halve cirkel om het twee verdiepingen hoge, uit steen opgetrokken hoofdgebouw. In de weiden graasden schapen en koeien. Mist hing laag en kringelend boven de hei bij het meer. Over de toppen van de heuvels waren wolken neergezakt, en het was gaan regenen.

De jongen zette de klok weer op nul en de teller op negenentwintig. Gershons score was zeven.

Zichtbaar opgetogen vroeg de jongen of ze nog een partijtje konden spelen. 'Ik ben er echt voor in de stemming,' zei hij.

Gershon keek uit het raam en zei dat het tijd was om zich te gaan verkleden voor het diner.

In de tuin om het achtergazon, bogen de bloemen onder de stromende regen. Achter de steil naar beneden lopende, fluwelig groene weiden lag het meer, leigrijs en gespikkeld door de regendruppels. De mist kroop op uit het dal en naderde de herberg. De reeks verschuivende grijstinten van het berglandschap zorgde voor een levendig, dramatisch licht in de mist en de wolken. Gershon wendde zich van het raam af toen de deur van het vertrek langzaam openging.

De windhond van de herbergier duwde tegen de deur. Gershon keek hoe hij de biljartkamer binnenkwam. De jongen was bezig de keuen terug te zetten in het rek aan de muur. Zodra de hond de deur door was, bleef hij roerloos staan en keek naar hen.

De jongen zei opgewekt: 'Hallo, Thane!'

De hond reageerde niet.

Ergens buiten de biljartkamer riep een mannenstem. De hond draaide zich om en liep stilletjes het vertrek uit.

De jongen bracht het zeil en Gershon hielp hem het over het biljart te leggen. Ze trokken het glad, streken het over het biljartlaken en verlieten de ruimte. Gasten luierden in de zachte stoelen van de met tapijt gestoffeerde zitkamer en stonden genoeglijk in groepjes in de lounge. Het licht in de lounge kwam van lampen en was zacht, gedempt. Het gegons van opgewekte gesprekken vulde de atmosfeer. De windhond lag als een donkergrijs, pluizig kussen opgerold op de kussens van een bank bij de erkerramen van de lounge.

Gershon en zijn zoon gingen de brede trap op, langs de oude schilderijen met jachttaferelen en de portretten van mannen in Schotse kledij. Terwijl Gershon omhoogliep, versnelde zijn hartslag plotseling eigenaardig. Hij bleef naast zijn zoon lopen en ademde diep. Ze liepen de glazen branddeur door naar de gang op de tweede verdieping.

De jongen vroeg of hij aan tafel een colbert moest dragen. Gershon zei dat een trui prima was, hij kon zijn schooltrui aantrekken of de wollen trui die ze in Inverness voor hem hadden gekocht.

'Ga je de vrouw van je vriend weer opbellen?' vroeg de jongen.

'Je moeder probeert haar al te bereiken,' zei Gershon.

Hij duwde de tweede branddeur open; een metalen deur die roomwit was geschilderd, in dezelfde kleur als de stijl en afgewerkt met een dunne, strakke, penseelstreek van metalliekvernis. Ze liepen door de smalle gang langs de genummerde deuren. De oude houten vloer waarop het nieuwe, groene woltapijt lag, kraakte zachtjes onder hun voetstappen. Op het lichtgroene, met reliëfpatronen versierde behang zaten honden vossen en herten achterna en sprongen paarden met ruiters in volledige jachtuitrusting over heggen en hekken. Gershon en zijn zoon kwamen door nog een metalen branddeur en gingen hun kamer binnen.

Gershons vrouw lag op bed de paperback-uitgave van Tillie Olsens *Silences* te lezen. De groene, doorgestikte sprei met daarop het borduursel van paarse heide was teruggeslagen van de kussens maar lag verder nog steeds over het bed. Ze zat met de kussens in haar rug half weggezonken in het te zachte bed en hield het boek bijna op een armlengte afstand. Haar handen trilden enigszins. Haar rok was opgekropen; Gershon zag haar lange, bleke benen en de welvingen van haar zware dijen.

'Gelukt?' vroeg hij haar toen hij de kamer binnenkwam.

Ze gaf geen antwoord.

'Davita, heb je verbinding gekregen?' vroeg hij haar opnieuw.

Ze keek op van het boek en keek hem nietsziend aan. Ze had grote, alerte, blauwe ogen maar leek op dit moment niet in staat scherp te zien. Toen lichtten haar ogen op en zag ze hem. Ze schudde haar hoofd.

Op het kleine tafeltje bij het raam zag hij de telefoon, haar pen en haar notitieboekje met spiraalrug. Gershon vroeg zich af of ze aan het verhaal had gewerkt dat de afgelopen negen weken haar stille kwelgeest was geweest.

'Hoe ging het spel?' vroeg ze.

'Hij heeft me helemaal weggespeeld,' antwoordde hij in een poging tot luchthartigheid.

'Ik heb bijna een uur gewacht,' vertelde ze hem en deed een toonloze stem na: 'U wordt doorverbonden met de centrale, blijft u alstublieft aan de lijn.'

'Heb je verbinding gekregen?'

'Ja. Maar er nam niemand op.'

Ze keek hem vermoeid aan, haar blik dwaalde weg, links van zijn hoofd, en onderzocht de muur achter hem met duistere aandacht. Gershon zag de matheid weer in haar ogen. Ze staarde hem aan alsof ze hem niet herkende.

Zachtjes zei hij tegen haar dat het tijd was om te gaan eten.

Ze kwam overeind, ging op de rand van het bed zitten, legde het boek op het nachtkastje, trok haar bloes en rok glad en streek met enigszins bevende vingers door haar lange, sliertige, blonde haar.

'Ik denk dat ik een stropdas omdoe,' zei Gershon. 'De rode gebreide. En ik trek mijn blauwe blazer aan.'

Zijn vrouw keek uit het raam naar de regen in het dal. 'Zullen we nog eens proberen hen te bellen?' vroeg hij.

'Na het eten,' zei ze.

'Dan is het daar middernacht,' zei hij.

'Dat geeft niet,' zei ze. 'Dan is er misschien iemand thuis.'

Ze keken samen uit het raam.

'Misschien doe ik die stropdas toch maar niet om en trek ik alleen mijn blazer aan,' zei hij.

Aan de volle bar vroeg hij om een Dewar. Zijn vrouw stond naast hem en dronk wodka met ijs. Ze droeg een zwarte bloes, een zwarte pantalon en een groen vest, en maakte een rijzige en zeer beheerste indruk. Hun zoon, verzorgd, goed gekamd en knap in zijn strakke witte broek, pronkend met de trui van de atletiekploeg van zijn school waarvan hij aanvoerder was, vroeg om een cola en liep het vertrek uit.

De eigenaar, een stevig gebouwde, vrolijke man, zijn kleren in het ruitpatroon van zijn clan, stond achter de bar, nam bestellingen op, mixte drankjes en hield de rekeningen bij in een schrijfblokje. Achter hem, boven de rijen flessen, hing een hertekop met gewei. Rechts van de kop hing een glazen kast aan de muur met twee glazen schappen vol sporttrofeeën. De atmosfeer in de kleine barruimte was rokerig en het gonsde van de gesprekken over de reizen en de dagtochtjes die sommige gasten hadden gemaakt.

De eigenaar vroeg Gershon of hij voor het eerst in Schotland was. Gershon knikte. Het glas voelde wonderlijk koud aan aan zijn lippen, de kou deed pijn aan zijn tanden. Zijn vrouw stond naast hem. Ze stonden op elkaar geperst in de drinkende menigte, haar dij tegen de zijne. Een kelner dook op aan zijn zij met de wijnkaart voor het diner. Gershon koos een witte bordeaux. Hij voelde een rukje aan zijn mouw, zette zijn glas op de bar en liep achter zijn vrouw aan naar de gang.

'Wat is er aan de hand?' vroeg hij haar.

'Misschien moeten we nog eens proberen te bellen.'

'Nu?'

'Ja.'

'Nu is er niemand thuis. Is het niet verstandiger om wat later te bellen?'

Ze hield haar glas in beide handen geklemd. 'Ik wil het nu proberen.'

Hij keek snel om zich heen en zei tegen haar dat het telefoongesprek moest wachten, iedereen werd naar de eetzaal geroepen.

Ze zag de gasten in de richting van de eetzaal gaan.

'Zoekt u uw zoon?' vroeg de forse bruinharige vrouw van de eigenaar hen joviaal in het voorbijgaan. 'Hij is in de biljartkamer.' De windhond volgde haar op de voet.

'Ik haal hem wel,' zei Gershon tegen zijn vrouw en nam haar glas. 'Ga jij maar vast naar binnen.' Toen vroeg hij: 'Voel je je wel goed, Davita?'

'Ik wou dat iemand de telefoon opnam,' zei ze.

Ze liep weg naar de eetzaal.

Gershon deed enkele passen richting biljartkamer en bleef toen staan. Hij zag zijn zoon uit de kamer tevoorschijn komen en door de zitkamer en de lounge lopen met zijn glas in de hand. Op zijn trui zat een lange krijtstreep. Zijn haar zat slordig.

'Wat een leuk spel,' zei hij. Toen keek hij om zich heen. 'Ben ik te laat?'

Gershon nam het glas van de jongen en zette beide glazen op het marmeren blad van een tafel naast de trap. 'Laten we aan tafel gaan,' zei hij. 'Je moeder zit te wachten.'

Ze zaten in de ruime serre die tussen de grote eetzaal en het gazon aan de voorkant van de herberg lag. De betonnen vloer was bedekt met een groen tapijt. Regen kletterde op het schuin aflopende dak van in metaal gevatte glasplaten en stroomde weg naar de bloemenperken buiten. De mist was tot aan de berkebomen aan het eind van het grasveld komen opzetten. Ze zaten alleen aan een tafel bij de glazen voorgevel. Aan de andere tafeltjes zaten ongeveer dertig mensen; aan de lange, imposante tafel in de grote eetzaal zaten er nog een stuk of twintig.

Gershon las het menu. Uit zijn ooghoek zag hij de windhond bij de deur van de eetzaal en keek op; de hond was uit de lounge binnen komen lopen. Gershon keek toe hoe hij over de gladgeboende vloer naar de ingang van de serre gleed, waar hij halt hield en doodstil bleef staan. Hij zag hem daar staan, keek naar hem. De hond kwam op hun tafel toelopen, hij bewoog zich met de zachte, soepele gratie van een jager, hield stil bij Gershons elleboog, en bleef hem staan aankijken met kleine bruine ogen die leken te volharden in een starre, enigszins dreigende blik. Hij rook zijn adem en voelde zijn warmte. Hij keek neer op de brede schedel, de vochtige, zwarte neus, de donkere, opstaande oren en het lange, blauwgrijze draadhaar van het dier en kreeg een kil, drukkend voorgevoel van gevaar.

'Hoi, Thane,' zei zijn zoon luchtig en boog zich voorover om de hond te aaien, maar trok snel zijn hand weer terug. De jongen wist dat hij van zijn vader zijn handen weer zou moeten wassen als hij de hond aanraakte.

104

Ergens buiten de eetzaal klonk de stem van de baas die de naam van het dier riep.

De windhond hief zijn kop op, keek achterom over zijn smalle, aflopende schouders en leek heel even zijn spieren te spannen. Toen draaide hij zich om en liep met lange, soepele passen weg.

Ze bestelden de gerechten die ze mochten eten: schotels zonder vlees of schelpdieren: pompoenpuree op smaak gebracht met venkel, gepocheerde schelvis met mosterdsaus, snijbonen, een salade van bladgroenten en tomaat met een lichte vinaigrette, en een dessert met verse aardbeien. De wijn kwam en ze toastten op het leven en de gezondheid. De jongen vroeg wat ze de volgende dag gingen doen. Gershon zei dat ze misschien een rit zouden maken door de Grampian Mountains en de heidevelden.

'Ik dacht dat we misschien Cawdor konden bezichtigen,' zei zijn vrouw.

'Cawdor ligt vlakbij Inverness,' zei Gershon.

'Zo ver weg?'

'We kunnen het op de terugweg bekijken.'

De jongen vroeg wat Cawdor was.

Gershon keek hem aan. 'Wat leren ze jou op school?'

De jongen kreeg een rood hoofd; hij tuurde in zijn bord soep.

Gershon deed zijn ogen dicht en weer open - en keek pal in de vermanende ogen van zijn vrouw.

Het diner was voortreffelijk. Gershon leunde achterover op zijn stoel en keek over de rand van zijn lege wijnglas door de glazen wand van de serre. De mist had de herberg bereikt en de omtrekken van de bomen en bloemen waren vervaagd.

De serveerster kwam naar hen toe om te zeggen dat de koffie klaar was. Ze verhuisden naar de lounge.

De jongen zei dat hij naar de biljartkamer ging, en of

zijn vader zin had om nog een partijtje snooker te spelen. Misschien later, zei Gershon.

Het was druk in de lounge, de sofa's en fauteuils waren bezet. Hij zag zijn vrouw praten met de vrouw van de eigenaar en met een echtpaar uit Londen. Zo nu en dan deed het praten over koetjes en kalfjes zijn vrouw goed. In haar ogen zag hij de flitsen die erop duidden dat het contact met nieuwe mensen haar genoegen deed. Na zevenentwintig jaar huwelijk kon hij nog steeds geen hoogte krijgen van de grillige manier waarop ze manoeuvreerde tussen haar behoefte onder de mensen te zijn en het kluizenaarschap dat ze zo intens zocht voor haar schrijven. Hij nam koffie uit de zilveren ketel op de tafel met het marmeren blad en liep in de richting van de zitkamer.

De eigenaar en een echtpaar van middelbare leeftijd uit Dartmouth in Devon zaten in leunstoelen voor de open haard. De wanden hingen vol met schilderijen van jachttaferelen en foto's van honden. De windhond lag aan de voeten van de eigenaar. De deur naar de biljartkamer stond op een kier.

Gershon liet zich in de leunstoel naast de eigenaar zakken en zonk weg in de zachtheid. Hij keek naar het vuur. Het trok goed. Hij zat naar de bewegingen van de vlammen te turen, naar hun opflakkeren en de veranderende kleurschakeringen.

De eigenaar had het over honden. 'Sommige blijken volslagen onhandelbaar. Na de oorlog hebben we duizenden Dobermannen moeten afmaken. Waren niet opnieuw af te richten. Die lieten niet meer los, het moordenaarsinstinct was gewekt. Jammer. Schitterend dier. Hebt u een hond?'

Gershon wendde zijn blik af van het vuur en zei dat ze een Canaänhond hadden.

'Goede hond, dat soort,' deed de man uit Dartmouth

een duit in het zakje. 'Schitterende territoriumdrift. En slim. Heel gemakkelijk af te richten.'

'Soms wat al te aanhankelijk,' zei Gershon. 'Hij heeft de neiging tegen de mensen op te springen.'

'Nou, dat kunnen we niet gebruiken, is het wel?' zei de vrouw.

'Die gewoonte is gemakkelijk af te leren,' zei de eigenaar. 'Geef hem een flinke dreun met je knie tegen zijn borst. Daardoor verliest hij zijn evenwicht en valt om. Dan moet je hem troosten. Een paar keer herhalen. De stumper denkt dat het een van de mysteries van het leven is en zoekt een andere manier om zijn aanhankelijkheid te uiten.'

'Precies,' zei de man uit Dartmouth. 'En als het een pup is, schuif je hem met je enkel of voet opzij. Niet schoppen, denk erom. 't Is niet de bedoeling de kleine schavuit pijn te doen. 't Moet een ongelukje lijken, iets toevalligs. Dan leren ze het wel.'

Een fontein van vonken spoot uit de vlammen omhoog, vergezeld van het ploffende geluid van exploderende gassen.

Geschrokken hief de windhond zijn kop op, tuurde naar de vlammen en gromde zachtjes. Toen kwam hij overeind.

Alle vier keken ze naar de hond.

'Thane, af!' zei de eigenaar.

De windhond ging langzaam weer op het tapijt liggen. Alle vier staarden ze in het vuur en dronken hun koffie.

De eigenaar vroeg Gershon of hij vaak naar Jeruzalem reisde. Ongeveer eens per jaar, zei Gershon, voor onderzoek en om contact te houden met oude vrienden.

'Mag ik misschien vragen wat voor onderzoek?'

'Filosofie en mystiek,' zei Gershon. 'Ik geef les.' En voegde eraan toe: 'Op Harvard.'

'Mystiek,' zei de eigenaar en herhaalde het nogmaals,

alsof het een nieuwbedacht woord was: 'Mystiek.' En hoelang was hij dit keer in Jeruzalem geweest?

'Twee maanden,' zei Gershon.

'Ik was in de jaren veertig in Jeruzalem,' zei de man uit Dartmouth. 'Beroerde vertoning.'

'Hoge inflatie nu daar, heb ik gehoord,' zei zijn vrouw. ''k Vraag me af hoe de mensen het bolwerken.'

'Verdomd beroerde vertoning, Jeruzalem in de jaren veertig,' zei haar man. Hij nam een slok uit zijn kopje en staarde in het vuur.

Gershon wendde zich tot de eigenaar en vroeg of hij jaagde met de hond.

'Je mag tegenwoordig geen herten meer jagen met honden,' zei de eigenaar. 'Al een tijdlang in strijd met de wet. Soms scheuren ze ze aan stukken, weet u. Teerhartige dierenliefhebbers hebben er een eind aan gemaakt.'

Door de kier van de openstaande deur naar de biljartkamer ving Gershon een glimp op van zijn zoon, gebogen over het laken met een keu in zijn handen. Hij excuseerde zich en stond op. De windhond sprong overeind en keek hem aan: ver doorlopende borstkas, dikke manen die op donkergrijs staalwol leken, sterke hals om een hertebok te grijpen en te doden. Gershon voelde een rilling van angst.

'Af!' zei de eigenaar.

De hond ging weer op het tapijt liggen.

Gershon liep de volle lounge in, maar zag zijn vrouw niet. Hij zette zijn kop en schotel op een bijzettafeltje en keek naar de mensen die ongedwongen her en der zaten of stonden te praten en te drinken. Hij liep de lounge door, ging de trap op, liep de gang in en de branddeuren door. Hij voelde het diner in zijn maag en in zijn borst bonsde het dof. Op zijn voorhoofd lag een dun laagje zweet. Hij stopte voor de tweede metalen branddeur en wachtte tot het bonzen van zijn hart bedaarde.

Zijn vrouw zat in de zachte stoel bij een van de ramen aan de telefoon en luisterde aandachtig. Door het raam kon hij vaag de regen en de mist ontwaren in de naargeestige, eindeloze, noordelijke schemering. Het meer kon hij niet zien en evenmin de smalle paden naar de weiden.

'Ik hoop dat er de volgende keer beter nieuws is,' hoorde hij zijn vrouw zeggen met de te luide stem die ze altijd had bij internationale telefoongesprekken. 'Je moet nu goed voor jezelf zorgen. Ga je weer werken? Het is belangrijk dat je weer terugkeert naar het normale leven. We denken voortdurend aan je. Je moet de hartelijke groeten hebben van Gershon. Wens de jongens alsjeblieft het beste van ons. Dag. Ja. Dag.' Ze hing de hoorn op de haak.

'Nieuws?' vroeg hij.

Ze schudde haar hoofd.

'Wat zeggen de artsen?'

'Hetzelfde als toen wij daar waren.'

Hij zweeg.

Ze stond op uit de stoel en liep naar het bed. Hij keek door het raam. In het westen hing een lage, smalle baan grijs licht. Hij kon de regen niet meer zien, maar hoorde hem tegen de ruiten tikken. Hij staarde naar zichzelf in een van de ruiten, een griezelige weerspiegeling, een donker gezicht in het donkere glas, kalend, met baard en bril. Hij wendde zich van het raam af. De pen en het notitieboekje van zijn vrouw lagen waar ze voor het eten hadden gelegen: gebrek aan inspiratie. Hij zag dat ze achterover op het bed ging liggen, met haar zwarte pantalon, haar zwarte bloes en het groene vest nog aan, haar middenrif puilde enigszins uit van het nieuwe gewicht van haar middelbare leeftijd, haar broek spande zich om haar zware dijen, haar blonde haar waaierde over het kussen en omlijstte haar ovale gezicht. Als ze gebrek aan inspiratie kreeg zocht ze abrupte discontinuïteiten op, in de hoop dat die prikkel haar vermogens weer tot leven zou brengen; vandaar hun aanwezigheid in dit afgelegen landschap, op dringend aanraden van een Engelse vriend. Hij wenste dat hij iets kon doen. Haar woelige wereld van taal en verbeelding was mijlenver verwijderd van zijn ordelijke domein van teksten en wetenschap; het was hem nooit gelukt, haar te volgen in haar fantasiewereld en hij wist niet hoe hij haar moest helpen ernaar terug te keren.

'Hoe voel je je?' vroeg hij op zachte toon.

'Ik heb het moeilijk,' zei ze. 'Ik heb het wel vaker moeilijk gehad.'

'Ja, dat is zo,' zei hij.

Ze zweeg.

'Ik ga naar beneden, naar de biljartkamer,' zei hij.

'Blijf alsjeblieft niet te lang weg,' zei zij.

Gershon liep de kamer uit.

In de lounge was het druk en rumoerig, en vol sigaretterook. De eigenaar van de herberg en het echtpaar uit Dartmouth zaten nog in de zitkamer. De windhond hief zijn kop op en keek aandachtig naar Gershon toen die langs liep. Gershon ging de biljartkamer binnen en trok de deur dicht.

'Wordt je vriend ooit beter?' vroeg zijn zoon hem.

'Dat weet niemand,' zei Gershon. 'Heb je nog steeds zin in een nieuw partijtje met je vader?'

Het biljart was lang en breed, een antiek stuk, in de negentiende eeuw gemaakt. De jongen legde de tien rode ballen in de driehoeksvorm, legde de andere gekleurde ballen en de witte stootbal op hun plaats. De jongen begon achter de rij van drie gekleurde ballen en

mikte de stootbal op de top van de driehoek. De ballen spatten alle kanten op. Een rode bal rolde in een
zak in het midden van de lange kant. De jongen krijtte
zijn keu, leunde voorover over het groene vilt en mikte de bruine bal in een hoekzak. Hij haalde de bal er
weer uit en legde hem terug op het biljart. De volgende stoot miste hij.

Gershon richtte op een dichtbij gelegen rode bal, miste
en schoot de groene bal in een zak. Hij legde de groene bal terug op de tafel. Met zijn twee volgende stoten
werkte de jongen keurig drie rode ballen en de blauwe
weg. Gershon kreeg een rode in een zak en miste de
gele. De jongen werkte nog twee rode weg en de roze.
Gershon tuurde uit het raam en zag dat de avond was
overgegaan in de nacht. Zijn zoon praatte tegen hem.

'Hoe lang kan je vriend op die manier leven?'

'Ik weet het niet.'

'Ik zou zo niet willen leven.'

'Jij bent zestien. Jij hoeft je daar geen zorgen over te
maken.'

'Was het iemands schuld?'

'Nee. Het is gewoon gebeurd, meer niet.'

Een van de mysteries van het leven. Een dreun tegen
de borst. Hij had ergens gelezen dat sommige Hoog-
landers, ondanks hun onwrikbaar, deterministisch cal-
vinisme, de godheid liever nergens de schuld van geven
en calamiteiten aanduiden met een ontwijkende manier
van spreken: *het* is gewoon stukgegaan, *het* is verloren
gegaan. Het hart van zijn oudste en beste vriend was
vijf dagen geleden enkele minuten stil blijven staan tijdens een bypass-operatie: heel zijn geestelijke bagage
was in coma geraakt: *het* was gewoon gebeurd.

Hij voelde de deur achter zich langzaam opengaan. Hij
draaide zich om en zag de windhond de ruimte bin-
nenkomen.

Hij bleef stokstijf staan en stelde zich voor dat de

hond gromde, in elkaar dook, een sprong nam en op hem neerkwam, het hele gewicht vol op zijn borst, zodat hij achteruit wankelde tegen het biljart aan.

Hij hoorde zijn zoon zeggen: 'Hoi, Thane, mooie hond dat je bent!'

Toen praatte de jongen tegen hem: hij was aan stoot.

De hond bleef stilletjes bij de deur staan.

Gershon leunde over het biljart. Er waren nog maar drie rode ballen over. Hij schoot één in een zak maar miste de volgende stoot. De jongen stootte een van de twee overgebleven rode ballen in een hoekzak en mikte de laatste in een lange baan achter een gele, een blauwe en een groene, waar hij tot stilstand kwam. Gershon zat in de val. Op geen enkele manier kon hij rechtstreeks bij de rode bal komen. Hij speelde over de band, miste en zag hoe de witte bal heen en weer kaatste over het lange biljart.

Schimmen

De schuilplaats was in het begin van de jaren vijftig gebouwd, toen de wijk nog vlakbij de grens lag. Het was een lang, smal, in de grond verzonken bouwsel, en om erin te komen moest je een houten ladder af, alsof je een loopgraaf inging. De oorlog had de wijk nooit bereikt, en de schuilkelder was nooit gebruikt. Hij stond leeg, er verzamelden zich spinnewebben en stof, hij werd een speelplaats voor katten en hagedissen.

In het begin van de jaren zestig werd een nieuwe rabbijn in de wijk aangesteld. Hij was een oude man. Toen ik er tien jaar later kwam, ontdekte ik dat niemand veel meer van hem wist dan dat hij in Hongarije was geboren en de oorlogsjaren in Engeland had doorgebracht.

Al snel nadat de rabbijn er was gekomen, had het stadsbestuur toestemming verleend om een synagoge van de schuilkelder te maken. De muren van lavasteen werden met houten panelen betimmerd; de kale betonvloer werd betegeld; de vergrendelde, stalen toegangsdeur werd vervangen door een houten deur; er werd een Heilige Ark geplaatst. Het was een bescheiden synagoge, met lange, rechte rijen banken van een donkere houtsoort, een verhoging en lezenaar van donker hout, een donkerblauw fluwelen voorhangsel voor de Ark en twee tafels met banken tegen de achterwand, waar de mannen in hun studie verdiept zaten en waar, bij gelegenheid, het zeven leden tellende bestuur van beheer van de synagoge bijeen kwam.

Begin jaren zeventig begon de wijk te groeien, en men sprak over de behoefte aan een nieuwe synagoge. Iemand ontdekte dat het dak van de bomkelder sterk genoeg was om een groot gebouw te dragen. Tijdens een vergadering van de bestuurderen werd besloten om een nieuwe synagoge te bouwen bovenop de bestaande, die intact zou blijven en gebruikt kon worden door oudere mensen die geen trappen konden lopen.

Het nieuwe gebouw verrees - gezien de plaatselijke bouwgewoonten, naar velen zeiden, verbazend snel - en in iets meer dan een jaar werd het voltooid. Het was drie verdiepingen hoog en zijn gladde, zandkleurige stenen voorgevel glom in het felle zonlicht.

Ruw uitgehakte stenen treden leidden omhoog, met aan weerszijden een nieuw aangelegde tuin met verbena's, jasmijn en oleanders, naar de met houtsnijwerk versierde houten toegangsdeuren. Binnenin liepen de muren van de synagoge naar het grote witte plafond, dat baadde in het licht dat door de brede ramen viel. Boven de verhoging in het midden werd een antieke bronzen kroonluchter gehangen, door Noordafrikaanse immigranten meegebracht uit een Marokkaanse synagoge, en op de een of andere wijze in het bezit gekomen van mijnheer Gevaryahu, de voorzitter van het bestuur van de synagoge. De pasgepoetste bewerkte armen vormden fijnvertakte arabesken. De Heilige Ark, gemaakt door een kibboets die was gespecialiseerd in het inrichten van synagoges, was groot en breed, vervaardigd van hoogglanzend gepolijst walnoothout. Hij werd opgesteld in de kale witte, oostelijke muur, met de voorzijde naar de Oude Stad en het nog steeds herdachte verleden. Het paarse voorhangsel, met zijn vergulde leeuwen en met edelstenen bezette levensboom, was tijdens de oorlog uit een brandende Hongaarse synagoge gered. Wat nog nodig was voor de synagoge, waren planken voor de gebedenboeken en bijbels, het mooi bijwerken van in het oog lopende vochtvlekken, lampjes voor boven aan de muren van de zijruimtes, en vaste banken.

Op verzoek van de bestuurderen werden tijdelijk klapstoeltjes gebracht en op een dusdanige wijze neergezet dat de stoelrijen in het rechter gedeelte van de synagoge tegenover de stoelen van de linkerzijde kwamen te staan, met in het midden de verhoging. De rijen achter de verhoging, de rijen het dichtst bij de ingang, stonden recht voor de Heilige Ark. Tegen de oostelijke muur bij de Ark werden geen stoelen gezet; de beheerders wilden niet dat iemand een speciale plaats kreeg toegewezen.

De synagoge was klaar voor haar eerste sjabbatdienst.

De ochtend nadat de stoelen waren klaargezet kwam de rabbijn de synagoge binnen. Hij keek rond en verklaarde met trillende stem dat de gekozen opstelling van de stoelen de naam van God ontheiligde. Zijn kleine gestalte beefde van woede toen hij opdracht gaf alle stoelen in rechte rijen vóór de te zetten. De stoelen mochten niet tegenover elkaar staan.

De twee leden van het bestuur die met de rabbijn de synagoge waren binnengekomen stonden perplex. Ze hadden uitroepen van blijdschap en bedankjes verwacht. Een van hen spoedde zich naar een telefoon en belde mijnheer Gevaryahu.

Bij de vergadering die avond was de rabbijn niet aanwezig. Het was een verhitte, soms verbitterde discussie. Mijnheer Gevaryahu weigerde zich bij de opdracht van de rabbijn neer te leggen. Anderen waren het met hem eens. Dit was *hun* synagoge, zeiden ze. Niemand, zelfs niet de rabbijn, hoefde hen te vertellen hoe de stoelen in *hun* synagoge moesten staan.

Maar er waren er ook die het fout vonden, de rabbijn tegen te spreken. Hij was hun leraar, hun autoriteit. Ze hadden het recht niet om tegen hem in te gaan, zelfs als ze het met zijn beslissing niet eens waren.

Toen kondigde mijnheer Gevaryahu aan, dat als de stoelen naar de wens van de rabbijn zouden worden neergezet, hij net voor aanvang van het lezen van de Tora voor de Heilige Ark zou opstaan en in het openbaar een protest zou laten horen - iets dat door wet en gebruik was toegestaan. Hij was een grote, hoffelijke man van voor in de zeventig, met een rozig uiterlijk, alerte grijze ogen, een diepe stem en een dos zilvergrijs haar, waarop vrolijk een klein rond keppeltje prijkte. Maar zijn gezicht zag bleek van woede.

Ik was een buitenstaander, een neutrale partij, een tijdelijke bewoner van de wijk, waar ik twee jaar eerder was gekomen om op een bepaalde wijze met woorden te werken. Op aandringen van mijnheer Gevaryahu, die een voorliefde had voor woordensmeders, was ik in het bestuur benoemd. Het was gezond om van tijd tot tijd de mening van een buitenstaander te horen, had hij gezegd.

Toen de vergadering ongeveer twee uur aan de gang was, richtte hij zich tot mij. 'U bent degene die met de rabbijn moet praten,' zei hij. 'U moet hem vertellen wat er hier op het spel staat.'

Mijn gezicht moet het geschrokken bonzen van mijn hart hebben verraden.

'Probeer hem maar van mening te laten veranderen,' drong mijnheer Gevaryahu er bij mij op aan. 'Geen poging daartoe te wagen zou onvergeeflijk zijn.'

Ik zei dat ik dit niet kon doen, dat ik de rabbijn nauwelijks kende, dat ik geen tijd had, dat ik niet eens een permanent lid van de synagoge was.

'U moet het op zijn minst proberen,' zei mijnheer Gevaryahu. 'Dit is een ernstige situatie.'

'Als het u niet lukt, hem van mening te laten veranderen, hoe moet ik er dan in slagen?'

'U kijkt er anders tegenaan,' zei hij. 'U komt van buiten. U moet met hem praten. Het is voor een hoogstaand doel.' Hij keerde zich naar de overige bestuurderen. 'Nou, zijn jullie het hiermee eens?'

Met ongenoegen hoorde ik hun goedkeurend gemompel.

De volgende ochtend belde ik de rabbijn op en vroeg hem of ik een afspraak kon maken.

'Waarover?' informeerde hij.

'Over de stoelen in de synagoge,' zei ik.

'Ik wil u graag ontmoeten,' zei hij. Hij klonk heel beleefd.

Die avond liep ik naar zijn flat. De donkere hemel was bezaaid met sterren. Een zacht herfstbriesje blies zijdezacht door de vrijwel uitgestorven straten. Hij woonde in een van de oudere gebouwen in de wijk, ongeveer drie huizenblokken van de synagoge vandaan. Ik ging de stenen buitentrap op naar de tweede verdieping.

Hij begroette me beleefd bij de deur en gaf me een hand. Zijn vingers waren droog en zacht. Hij had delicate, witte handen die bijna vrouwelijk aandeden. Zijn ogen waren van een diep soort blauw en lagen in door de ouderdom getekende kassen. Hij leidde me naar binnen.

De flat was klein en schamel gemeubileerd, met kale muren op enkele grote, sepiakleurige foto's van mannen met lange baarden en donkere hoeden na. Hij bracht me naar zijn kleine studeerkamer, met overal tegen de muren boekenkasten.

Een hele tijd bleef ik naar hem zitten luisteren.

'Juist,' zei ik tenslotte. 'Ik begrijp het. Als dat het geval is, als het een wetszaak is, laten we dan eens in de boeken kijken.'

Hij keek me scherp, op zijn qui-vive aan. 'Welke boeken bedoelt u?'

Ik noemde een gezaghebbend boek, waarvan ik wist dat hij de autoriteit ervan moest erkennen.

Hij deed geen poging, de tegenzin waarmee hij overeind kwam te verbergen. Hij liep naar de boekenkast die tegen de verst verwijderde muur stond. Hij stak een benige vinger uit, nam er een deel uit, en keerde ermee terug naar de tafel.

'Ik heb zoiets nog niet eerder aan de hand gehad,' zei ik hem. 'Ik doe dit verzoek alleen maar als afgevaardigde van diegenen die me hebben gevraagd met u te praten.'

Hij mompelde enkele woorden in het, naar wat ik dacht, Hongaars.

Weer in het Hebreeuws, wat we tot nu toe hadden gesproken, zei hij: 'Ze hebben niet het recht om zich tegen mijn beslissing te verzetten. Ik ben de rabbijn.'

Ik maakte een gebaar van hulpeloosheid: de wenkbrauwen enigszins opgetrokken, het hoofd een beetje naar achteren en de handen met de palmen naar boven gekeerd. We zitten samen in dit bootje, zei dit gebaar. Laten we er maar het beste van maken.

Hij opende het boek, bevochtigde een vinger met het puntje van zijn tong en sloeg de bladzijden om. Het lampje boven ons in de benauwde, muffe kamer scheen op zijn zwart satijnen, driekwartjas en op zijn grote, donkere keppel. Hij boog zich over het boek. Zijn vinger zocht in de wirwar van tekens.

'Wat wilt u precies, dat ik u laat zien?' vroeg hij.

'De wet over het neerzetten van de zitplaatsen.'

'In zulke zaken,' zei hij, 'wordt de wet altijd bepaald door de rabbijn.'

'Maar wij hebben het recht om te kijken waar deze wet geschreven staat.'

'Hier is de passage.' Hij wees naar de tekst. 'Er staat duidelijk dat de zitplaatsen in rechte rijen, vóór de Heilige Ark moeten worden gezet.'

Ik las de passage, terwijl hij doodstil bleef zitten, de ogen op de muur achter mij gevestigd. Een vertakt, blauwachtig adertje liep over de zijkant van zijn hoofd en via het benige vlak van zijn slaap naar beneden, zwak kloppend onder de bleke, papierachtige huid.

Ik las de passage nogmaals.

'Met alle respect, rabbi,' zei ik. 'Ik begrijp het niet. In deze passage staat alleen maar dat de zitplaatsen niet zodanig mogen worden opgesteld, dat iemand tijdens het lezen van de Tora met de rug naar de verhoging komt te zitten. Er staat niet dat alle zitplaatsen in de synagoge in rechte rijen vóór de Heilige Ark *moeten* staan.'

Hij bleef enigszins op en neer zitten wiegen en staarde naar de muur achter mij. Hij sloot zijn ogen.

Na enige tijd hernam ik: 'Er staat dat de zitplaatsen niet in rechte rijen tussen de Ark en de verhoging mogen worden gezet. Dat betekent, dat ze wel tegenover elkaar mogen worden neergezet. En als ze op deze manier op de belangrijkste plek in de synagoge, tussen de Heilige Ark en de verhoging mogen staan, dan mogen ze zo zeker langs de zijkanten van de synagoge staan.'

Hij opende zijn ogen, boog zich voorover en sloeg met een abrupte beweging van zijn witte, benige pols het boek dicht. 'Ik heb altijd al gezegd dat het verkeerd is om wetszaken met een gewoon iemand te bespreken.'

Ik bedwong het verhitte gevoel dat in me opwelde. 'Met alle respect,' zei ik. 'Hoe kan de rabbijn...?'

'Ik ga niet in een synagoge zitten waar de stoelen tegenover elkaar staan. Zo kan ik niet bidden. Ik kan me niet concentreren wanneer de mensen me de hele tijd aankijken.'

'De synagoge op de Masada is op deze wijze ingericht,' zei ik. 'De synagoges in de Galilea waren...'

Met een boos handgebaar snoerde hij me de mond. 'Wat hebben wij te maken met de Masada! Dit is Jeruzalem! In deze wijk beslis ik!'

Ik moest moeite doen om mijn stem niet te verheffen. 'Rabbi Koenig. Ik zeg dit met alle respect. De mensen begrijpen uw beslissing niet. Enkelen hebben mij gevraagd, u te zeggen dat zij het niet zullen toestaan dat de stoelen op uw manier worden neergezet.'

'Dat is rebellie!' zei hij luid.

'Ze vragen alleen maar van hun rabbijn dat hij redelijk is.'

'Ik zal dit nooit toestaan. Ik kan me zelfs niet op de belangrijke gebeden concentreren als ik telkens wanneer ik opkijk, behalve de gezichten van de vrouwen die van het balkon omlaag kijken, ook nog die van de mannen voor mij zie.'

Ik keek hem aan. 'Rabbi Koenig, met alle respect...'

'Ik ben zesenzeventig jaar oud, maar mijn verbeeldingskracht, zo helpe mij God, is sterk, en mijn wil is sterk. Ik ken mijn zwakheden. Ik zet geen voet in een synagoge waarin menselijke zwakheden, God verhoede het, kunnen gedijen.'

'Er zal een ruzie onstaan tijdens onze eerste sjabbatviering.'

'Er komt geen ruzie. Iedereen zal zich bij mijn beslissing neerleggen.'

'Mijnheer Gevaryahu en zijn groep zullen zich er niet bij neerleggen.'

Hij keek me verrast aan. 'Hoort mijnheer Gevaryahu tot de groep die u heeft gestuurd?'

'Ja.'

'Maar hij heeft de oude synagoge mee helpen bouwen, waar alle zitplaatsen in rechte rijen staan.'

'Daar weet ik niets van. Ik weet alleen maar wat ze me hebben gezegd.'

Zacht klonk een klop op de deur van de studeerkamer. Langzaam ging de deur open. Beschroomd kwam de bejaarde vrouw van de rabbijn binnen met een dienblad vol kopjes, bordjes, een theepot en een schaal met koekjes. Ze had een eenvoudige, donkere jurk met lange mouwen aan en droeg een witte doek over haar hoofd. Zonder iets te zeggen liep ze naar de tafel, zette het dienblad neer en draaide zich weer om. Zachtjes ging de deur achter haar dicht. Ze liet een vage, muffe lucht achter.

Er viel een korte stilte.

'Thee?' vroeg de rabbijn me. 'Een koekje?'
Hij schonk de thee in. We bleven een ogenblik stil zitten.
Hij zei: 'Hoe is het in Amerika? Worden daar joden vervolgd? Haten ze ons?'
'Nee...'
'Ik hoor soms verhalen.'
'Welke verhalen?'
'Verhalen,' zei hij.
Na een hele tijd zei ik: 'Wat is er? Waar gaat het hier echt om?'
Hij zei: 'Ik ben doodmoe.'
'Ik kom wel een andere keer terug.'
'Nee, ga nog niet weg.'
'Zoals de rabbi wenst,' zei ik.
'Ik ben een oude man,' zei hij. 'Met herinneringen.'
Ik zweeg.
'Ik zal u iets vertellen,' zei hij zacht. 'Ik voel dat ik het u wel kan vertellen. Ik heb dit nog tegen niemand hier verteld. Vijfendertig jaar geleden was ik de rabbijn van de synagoge in Bratislava in Tsjechoslowakije. Ik had meer dan tweehonderd gezinnen in mijn synagoge. Mijn vrouw en ik zijn zelf nooit gezegend met kinderen. Zo heeft God het gewild. De kinderen in de synagoge waren onze kinderen. Vijfendertig jaar geleden...'
'Toen kwamen de nazi's, moge hun namen en de herinneringen aan hen worden uitgewist. Op de sjabbat na de *Kristallnacht* in Duitsland stond ik op mijn katheder en kondigde mijn mensen aan dat mijn vrouw en ik de komende zomer naar Engeland zouden vertrekken. Het vuur van de *Kristallnacht* zou weldra ook ons treffen, zei ik. Verkoop jullie huizen en winkels, pak jullie spullen en kom met ons mee, zei ik. Kom voordat het te laat is. Ze keken me aan alsof ik mijn verstand had verloren.'
'Niemand geloofde dat we zouden vertrekken. Maar

toen ze zagen dat we onze voorbereidingen begonnen te treffen, smeekten ze ons om te blijven. De situatie was niet meer zo ernstig, zeiden ze. Het was nu rustig in Duitsland. U kunt uw gemeente toch niet in de steek laten?'

'Die zomer vertrokken mijn vrouw en ik naar Engeland. De hele zomer kregen we brieven waarin ons werd gevraagd om terug te komen. In september brak de oorlog uit en ontvingen we vanzelfsprekend geen brieven meer. Na de oorlog kwam ik erachter dat geen van de gezinnen het had overleefd, niet één, geen enkel...'

Hij wachtte even en haalde bevend adem voordat hij verder ging. 'Toen mijn vrouw en ik naar Jeruzalem kwamen, heb ik voor God de eed afgelegd dat als ik hier ooit een synagoge zou stichten, het er een moest zijn waarin de gezinnen uit mijn synagoge in Bratislava graag hun gebeden hadden gezegd. En dat is precies wat ik hier ga neerzetten.' Hij zette zijn kopje neer en staarde in het restje thee. 'Weet u, het zijn de kinderen die ik niet kan vergeten. Ik kan mezelf eenvoudig niet verzoenen met hun lot. Soms denk ik wel eens dat als ik iets meer moeite had gedaan, als ik op de een of andere wijze overtuigender was geweest, als ik in Bratislava was gebleven, dat er dan misschien een paar zouden zijn gered... Er waren zo veel kinderen... Weet u, zelfs na al deze jaren zie ik nog steeds hun gezichtjes... Onze synagoge hier zal een voortzetting zijn van hun synagoge in Bratislava... Zegt u alstublieft tegen mijnheer Gevaryahu en zijn vrienden dat de rabbi niet van gedachten is veranderd. Wilt u nog een kopje thee?'

De flat van mijnheer Gevaryahu keek uit op de Oude Stad. Ze was rijk gemeubileerd, de kamers waren ongewoon ruim. Aan de met hout beklede muren van de vestibule hing een prent van Moreh, een schilderij van

Raviv en een dik Afrikaans wollen kleed. In de woonkamer hingen de muren vol met grafieken en schilderijen van Ardon; wervelende streken rijk geschakeerde kleuren waartegen kabbalistische ladders en wielen zweefden.

Hij was in Frankfurt geboren en was aan het einde van de jaren twintig naar Jeruzalem gekomen. In Duitsland had hij Martin Buber gekend en Walter Benjamin en had tot de vriendenkring behoord die toegelaten werd tot Franz Rosenzweig, tijdens diens jaren in het terminale stadium van zijn verlamming, toen hij al zwaar invalide was. Mijnheer Gevaryahu had een boekwinkel van internationale faam in het centrum van Jeruzalem. Af en toe bracht hij een jonge, nieuwe auteur uit; een van zijn schrijvers had onlangs de Bialik-prijs gekregen.

We liepen de patio op, de koele, geurende avondlucht in. Aan weerszijden van de straat stonden onlangs geplante cypressen, groot en donker in het licht van de straatlantaarns. Katten liepen of sprongen de schaduwen in en uit. Aan de rand van het nabijgelegen park stond een oude olijfboom met kriskras door elkaar heen groeiende takken, die de boom het knoestige aanzien van een trol gaven. Voorbij de Jabotinskystraat reden auto's en bussen over de autoweg naar Bethlehem, en uit het dal achter de tuinhuizen van Yemin Mosje steeg een rokerige, roze mist. Ergens in de buurt van het centrum van de stad klonk het geluid van een politiesirene, dat aanzwol tot een gejank en plotseling ophield.

'Neemt u alstublieft plaats,' zei mijnheer Gevaryahu en wees op een rieten stoel met dikke kussens. 'Daar zit u heel prettig in. Zo, nu kunnen we praten. Wat heeft hij gezegd?'

Ik vertelde hem dat de rabbijn niet van gedachten was veranderd.

Hij kneep zijn lippen tot een dunne streep op elkaar. 'Wat hebt u hem gezegd? Vertel het me woordelijk na.' Ik herhaalde mijn gesprek met de rabbijn, maar zei hem niets over de synagoge en de kinderen.

'Ik kan het niet geloven,' zei hij. 'Die man vernietigt de synagoge nog voordat hij is geopend.'

'Hij verbaasde zich erover dat u een van degenen was die protesteerden. Hij vertelde me dat u accoord was gegaan met de wijze waarop de zitplaatsen in de oude synagoge zijn neergezet.'

'Dat was een schuilkelder. We wisten allemaal dat die slechts tijdelijk zou zijn.'

'In de meeste synagoges in Europa en Amerika staan banken in rijen voor de Heilige Ark,' zei ik.

'Ik ken de synagoges in Europa en Amerika,' zei hij. 'Ik ben in Amerika geweest. Maar hier richten we ze op *onze* manier in.' Hij zweeg ineens en ging staan. 'Och, wat doe ik toch? Het spijt me. Ik vraag u om vergeving. U komt voor het eerst bij mij thuis en ik sleep u meteen naar de patio en begin u te ondervragen. Mijn vrouw is op bezoek bij haar zus in Haifa, en ik gedraag me als een onvergeeflijk slechte gastheer. Kan ik u een kop koffie en een gebakje aanbieden?'

We dronken koffie en aten kleine Weense gebakjes en keken naar de lichtjes van de stad.

'Er steekt iets meer achter, niet?' zei ik.

Hij zweeg.

'Wat? Waar gaat het werkelijk om?'

Hij zei: 'Dit is een prachtige stad. In Amerika heb je geen werkelijk mooie steden, hè? Ik heb veel steden in Europa bezocht. Parijs, Londen, Venetië, Florence, Rome. Maar Jeruzalem heeft een bijzondere charme...'

Hij zweeg.

Zachtjes zei hij: 'U kunt zich niet voorstellen hoe deze stad eruit zag toen ik hier met mijn vrouw aankwam. Het was net een dorp. We kenden elkaar allemaal bij

126

naam. Arabieren en joden. Behalve die krankzinnige extremisten aan weerszijden. We konden overal komen. Het gedeelte waar we ons nu bevinden was een Arabische buurt. Twee straten verderop woonde een sjeik. Wij waren een van de eerste joden die hier een huis kochten. Het lag in dezelfde straat als de synagoge. Een prachtig stenen huis. Aan alle kanten hadden we Arabieren als buren. Mijn zoon speelde met hun kinderen. Als er iemand ziek was, zorgden we voor elkaar, we deelden onze blijdschap, we bleven zelfs goede vrienden tijdens de rellen in de jaren dertig. Echt goede vrienden. Onze zoon was even dikwijls bij onze Arabische buren thuis als bij ons. Het was een schitterend kind. Dit zeg ik zonder vaderlijke overdrijving. Hij hield van het land en van zijn archeologie. Waarlijk een schitterend kind.' Hij zweeg even. 'Nog een kopje koffie? Het is lekkere koffie, vindt u niet? Een oude bedoeïen heeft me geleerd hoe ik hem moet zetten. Sommigen vinden hem te zoet...' Zijn stem zakte weg.

Traag reed een auto met een hard motorgeluid door de straat.

Hij ging verder, me niet rechtstreeks aankijkend. 'Toen kwam ineens, in het begin van 1948, de Arabische gemeenschap tegen ons in opstand. Voornamelijk de jongeren, hoewel er ook anderen bij waren. Volgelingen van de Mufti. Tot op de dag van vandaag weet niemand precies wat er is gebeurd. Het was laat op een avond. Er werd flink geschoten. Mijn zoon was op bezoek bij een van zijn Arabische vrienden, en hij kwam maar niet thuis. De volgende ochtend vroeg vond ik hem in een zijstraat. Ze hadden hem door het hoofd geschoten. Ze hadden hem... ze hadden hem... verminkt.'

Zijn stem brak en hij zweeg. Diep binnen in me voelde ik een scherpe pijnscheut en smart bedrukte me.

Een ogenblik bleef hij zwijgen en drukte een zakdoek tegen zijn ogen. Ik keek een andere kant op en hoorde hoe hij verder ging. 'Ik heb mijn zoon begraven en heb op zijn graf gezworen dat als ik voldoende geld had om een nieuwe synagoge in deze wijk te laten bouwen het er een moest zijn waarin hij graag zijn gebeden had gezegd. Dat wil ik hier van de grond krijgen. Geen Europese synagoge, niet een uit die oorden van verbanning.'

Weer zweeg hij.

Ergens in het duister beneden ons jankte een kat op een huiveringwekkend menselijke wijze. Het antwoord klonk als de schreeuw van een kind. Jeruzalemse katten die tussen de vuilnisemmers vochten.

'Iemand zal moeten toegeven,' zei ik, 'of er komt hier helemaal geen synagoge.'

'Ik geef niet toe,' zei mijnheer Gevaryahu. 'Laat de rabbijn maar toegeven.'

'De rabbijn zal niet toegeven,' zei ik en vertelde hem van de synagoge in Bratislava en van de kinderen.

Er viel een lange stilte.

'Misschien kunt u bedenken hoe we dit moeten aanpakken,' zei mijnheer Gervayahu.

Ik zei niets.

'Het was een schitterend kind,' zei mijnheer Gevaryahu tegen de duisternis. 'En wat ze met hem hadden gedaan...'

Ik kon niet slapen. Geluiden en beelden spookten rond in het duister. Ik luisterde naar de zachte ademhaling van mijn vrouw en naar het kattegejank beneden op straat. Een van mijn dochters slaakte een gilletje in haar slaap.

Tegen de ochtend, toen de zwarte lucht boven de heuvels aan de andere kant van de Dode Zee langzaam wit begon te kleuren, gleed ik weg in de nevelen van een met dromen gevulde halfslaap. Uitgeput werd ik wakker en bleef als verdoofd liggen luisteren naar de geluiden van de stad - en ik kreeg ingevingen, langzaam en mysterieus, alsof ze ontsproten aan een innerlijk bewustzijnsritme. Ik stond op en belde mijnheer Gevaryahu.

Die avond kwam het bestuur bij elkaar. Ook de rabbijn was aanwezig.

'Ik heb een voorstel,' zei ik. 'Ik weet alleen niet of het u enig soelaas zal bieden.'

Ze waren doodstil.

'Ik denk dat de stoelen moeten worden opgesteld op de manier zoals mijnheer Gevaryahu en zijn vrienden dat willen,' zei ik.

De rabbijn sloeg de ogen neer en keek naar zijn witte handen. Hij schudde het hoofd. Mijnheer Gevaryahu glimlachte.

'Laat me alstublieft uitspreken,' zei ik. 'Verder ben ik van mening dat er een speciale, grote stoel met kussens en een eigen boekstander voor de rabbijn moet komen. De stoel moet tegen de oostelijke muur van de synagoge worden gezet. Op die manier wordt de rabbijn niet afgeleid tijdens de belangrijke momenten van het gebed, omdat hij dan met zijn rug naar de gemeente staat. Bovendien staat hij dichtbij de Heilige Ark en zijn speciaal gewijde voorhangsel.'

Mijnheer Gevaryahu keek me aan. De rabbijn zat doodstil.

De anderen zaten aan tafel keken van de rabbijn naar mijnheer Gevaryahu en weer terug, en zwegen.

'U mag deze regeling als tijdelijk zien,' zei ik. 'U kunt dan voordat u blijvend uw stoel inneemt een definitief besluit nemen. Ik heb geen andere manier kunnen verzinnen om dit probleem op te lossen.'

Ik had me de argumenten die ze tegen mijn voorstel zouden inbrengen al voorgesteld. Maar tot mijn verrassing ontstond er haast geen discussie. Ze leken allemaal opgelucht, dát er een oplossing werd aangedragen. De rabbijn en mijnheer Gevaryahu knikten instemmend, en de bestuurderen stemden vóór het aanvaarden van het voorstel.

Nadien schudde de rabbijn me de hand. 'Het is wel niet precies de opstelling die ik voor ogen had,' zei hij. 'Maar het is een fijn gevoel om vlakbij de Heilige Ark en het voorhangsel te zitten. Ik wens u een lang en gezond leven.'

Mijnheer Gevaryahu gaf me een schouderklopje. 'Hoe bent u daar toch opgekomen?' vroeg hij. 'Het is een goede oplossing voor een zeer kwalijke situatie. Als we niet accoord waren gegaan, was dat onvergeeflijk geweest. Ziet u nu wel? Ik zei u toch dat de visie van een buitenstaander nodig was.'

Tijdens de dienst op die sjabbatochtend stonden de stoelen in de synagoge op de wijze zoals mijnheer Gevaryahu en zijn vrienden hadden gewild. De rabbijn zat in een sierlijke zetel met een hoge rug en dikke kussens naast de Heilige Ark en zei zijn gebeden, helder en nauwgezet. Mijnheer Gevaryahu zat bij zijn vrienden en veegde op een bepaald punt tijdens de dienst zijn ogen met een zakdoek. Degenen die bij hem in de buurt zaten wendden hun ogen af.

Dit was dertien jaar geleden.

Onlangs keerde ik naar die wijk terug. De tijdelijke, houten klapstoeltjes staan nog steeds op de oorspronkelijke wijze gerangschikt. De rabbijn is nu negenentachtig jaar oud, broos, jichtig, maar met schrandere blik en helder van geest. Hij zit in zijn sierlijke stoel met hoge rug en dikke kussens bij de Heilige Ark en men ziet hem vaak in een zwijgend tweegesprek met onzichtbare wezens om hem heen. Mijnheer Gevaryahu bezet een stoel op de voorste rij, links in de synagoge, tussen zijn oude vrienden, en zinkt vaak weg in een dromerige blik over de verhoging heen, naar het zonlicht dat door de ramen stroomt.

Het cijfer zeven

Ilana Davita Chandal was het spoor bijster. Haar bijtend gevatte, barokke stijl, haar verheven ritmiek, de arabeske krullen en met latinismen doorspekte proza hadden haar gedurende de laatste twee decennia lovende kritieken, prestigieuze prijzen, eredoctoraten en een fanatieke aanhang opgeleverd. Haar toegewijde lezers, wier geringe aantal ruimschoots werd gecompenseerd door hun elitaire eruditie en wetenschappelijke kwaliteiten, kenden haar simpelweg als 'I.D.' Een tijdje geleden was ze op een kruispunt in haar werk beland, en was daar stil blijven staan, zonder inspiratie, uitgewrongen.

Ze was een heel eind op weg in haar middelbare jaren, had grijze haren, vaak pijnlijke ogen die heen en weer flitsten achter haar in een hoornen montuur gevatte dikke glazen, ze kreeg mysterieuze hartkloppingen op vreemde momenten van de dag of nacht, en had nu een indringend gevoel gekregen van Het Einde. Haar onderwerp was steeds de intellectueel van nu die zweefde tussen de betrekkelijkheden van het secularisme, maar toch van tijd tot tijd de zich opdringende wenken uit de wereld van de traditie bespeurde. Ze erkende voor zichzelf de mogelijkheid, dat ze dit onderwerp helemaal had uitgemolken, het van zijn levenssappen had ontdaan, en dat ze nu tot haar knieën in de modder stond.

Dus legde ze haar pen weg - een oude zwarte Waterman met een soepel pennetje en de orginele rubberen inktpatroon, een aanmoedigingscadeau van haar moeder toen ze een tiener was; I.D. schreef haar eerste versies met de hand en het eelt op haar middelvinger bewees dat - en ging zich bezig houden met zaken die te maken hadden met De Maatschappij. Ze schreef ingezonden brieven naar de *New York Times* over feministische onderwerpen en de Arabische opstand in Israël. Ze trad op tijdens PEN-bijeenkomsten. Ze woonde literaire ontvangsten bij in chique hotels in New York. Tijdens universiteitsmanifestaties hield ze erudiete toespraken over Virginia Woolf, Henry James en de rol van de kunstenaar in de post-moderne cultuur, 'een cultuur die zo geestloos en zo mager was,' naar zij stelde, 'dat zij niet eens een eigen naam heeft.'

In een week in april, tijdens haar vijfde maand 'in de modder' - rond die tijd had ze deze periode in haar leven zo genoemd - nam ze een uitnodiging aan om komende juni in Jeruzalem een conferentie bij te wonen en een essay in het Engels in te sturen over een onlangs overleden moderne Israëlische schrijver van wereldformaat. 'Verandering van spijs doet eten,' herinnerde ze zich dat haar moeder eens had gezegd.

* * *

I.D. kende vrijwel geen modern Hebreeuws. Onbekend met het werk van deze schrijver begon ze hem in de Engelse vertaling te lezen. Bij elk werk dat ze las verwonderde ze zich meer. Zijn draagkracht, scherpzinnigheid en verbeeldingskracht waren opmerkelijk hedendaags. Maar in zijn manier van uitdrukken, zijn woorden en metrum weerklonk de archaïsche stijl van een lang vervlogen literatuur. Woordspelletjes, beeldspraken, dubbelzinnigheden, lange stukken van droomachtige vrije associaties, het gezin als slagveld, de mens die zijn richting kwijt was in een vijandige of onverschillige wereld - dit waren zijn onderwerpen, verhaald in zinnen waarin de retoriek en het metrum van de heilige rabbijnen en middeleeuwse barden weerklonken. Zijn stem was de stem van de modernist, maar zijn handen waren handen uit het verleden.

Tijdens de lunch, boven een salade Niçoise, in Au Grenier vlakbij de *Columbia University*, wees een Amerikaanse collega-schrijver en kenner van het Hebreeuws een aantal uitdrukkingen in het proza van de grote schrijver aan die een groot aantal betekenisniveaus tegelijk bevatten, omdat de taal duizenden nuances kende. Ze luisterde, keek naar haar nauwelijks aangeraakte tonijn, en schold zichzelf de huid vol: Hoe was het mogelijk dat ze deze schrijver al die jaren dat ze was opgegroeid met de boeken van Henry James, Virginia Woolf, James Joyce en T.S. Eliot over het hoofd had gezien? Waarom had ze de uitnodiging voor die conferentie aanvaard? Hoe zou ze ooit een essay kunnen schrijven over een schrijver die ze amper in de oorspronkelijke taal kon lezen, en het voor een belezen, academisch gehoor in de universiteit van de geboorteplaats van de schrijver presenteren? Ze zou de schrijver zélf moeten vinden, zijn wezen, zijn nucleus, zijn essentie. Ze had er jaren aan gewerkt voordat ze de werkelijke Henry James had ontdekt. En Virginia Woolf - ze had geen lust om terug te denken aan de moeite die het haar had gekost om háár wezen te ontrafelen!

'En, wat doet I.D. tegenwoordig?' vroeg de goed geïnformeerde schrijver vriendelijk, het antwoord vol spanning afwachtend.

Ze mompelde iets over de ziekte van haar moeder die haar de afgelopen maanden van het werk had gehouden, en voelde zich verloren in een diep duister landschap.

Haar echtgenoot zei die avond tegen haar: 'Mensen die niet eten gaan gewoonlijk dood. Dat is algemeen bekend.' Hij was een intense, kalende man met een baard, die filosofie onderwees aan de *Columbia* en mystiek aan het *Jewish Theological Seminary*.

'Ik krijg geen vat op hem,' mompelde ze. 'Die stijl, die struktuur. Hij ontglipt me steeds.'

'Je bent hem nu drie weken aan het lezen, en je wilt hem nu al doorhebben?'

'De tijd dringt.'

'Luister eens, het wezen van iemand vind je niet zomaar. Hoeveel tijd heeft het je niet gekost bij James? En die antisemiet Eliot? Hoelang heeft het niet geduurd bij Eliot?'

'Ik was gek om die uitnodiging te accepteren.'

'Eet. Als je sterft door ondervoeding, zul je hem zeker niet door krijgen. Neem dat van me aan. Doden gaan niet op bezoek bij doden.'

Gedurende de vier weken die volgden las ze met koortsachtige hartstocht verder in de boeken van de overleden schrijver. Op een nacht had ze een vreselijke nachtmerrie over Faulkners Popeye die op het schavot staat en de sheriff vraagt zijn zwarte haren glad te strijken. 'Doe mijn haren eens goed, Jack,' hoorde ze hem duidelijk zeggen. 'Best. Ik zal je haren goed doen,' zei de sheriff en liet de bodem wegklappen. Zwetend werd ze wakker, haar hart bonsde in haar keel.

I.D. vloog naar Israël, innerlijk verscheurd, wanhopig en haar essay nog steeds niet geschreven.

* * *

Ze arriveerde op het vliegveld Ben-Gurion na een slapeloze nacht aan boord van een jet die vol zat met gospels zingende bedevaartgangers uit Des Moines, luidruchtige tieners uit Long Island en ongedurige Chassidiem uit Brooklyn. In een waas liep ze door de paspoortcontrole, vond haar valies, duwde haar wagentje langs de douane en stapte in een tumultueuze massa door elkaar hollende taxichauffeurs, donker geklede en bebaarde Chassidiem, gespierde *kibboetsnikiem* in korte broek en met sandalen aan hun voeten, militairen met de wapens over de schouder gezwaaid, gebruinde vrouwen en kinderen met stralende gezichten, die allemaal achter de afzetting voor aangekomen passagiers stonden te wachten. Een warme, geurige lucht streelde haar, riep herinneringen wakker. Ze was al tweemaal eerder in Israël geweest, en beide keren had men haar geïnterviewd, was er over haar geschreven en werd ze op handen gedragen. Ondanks haar agressieve politieke stellingname kon de linkse, niet-godsdienstige intelligentsia niet genoeg van haar krijgen. Nu, tijdens haar dorre periode, voelde ze zich een oplichtster en vreesde het vooruitzicht, door de media achtervolgd te worden.

Voorbij de afzetting stapte een gezette man van middelbare leeftijd uit de menigte en liep snel op haar toe. Shaul Hofshi, hoogleraar in de Hebreeuwse literatuur, een oude vriend. Kleine grijze ogen, zware kaken en een een dubbele kin, vochtige lippen. Een lichtbruine flodderbroek, oude sandalen, een wit hemd met korte mouwen. Stukken bleke huid in de spleten tussen de knopen van zijn strak zittend hemd; diepe plooien die vanuit het kruis uitwaaierden over de voorkant van zijn broek. Hij begroette haar uitbundig, nam haar valies aan, vroeg hoe de vlucht was geweest, zei hoe fijn hij het vond, haar weer te zien. Ze zou natuurlijk wel bekaf zijn, ze zouden onmiddellijk naar Jeruzalem gaan, zodat ze haar kamer op de faculteitsclub van de universiteit kon betrekken en wat kon rusten. Ze zouden in de auto haar afspraken bespreken, en de conferentie en interviews, maar of ze intussen hier even een paar minuutjes wilde wachten. Hij was zo terug met de auto, of ze alsjeblieft op deze plek wilde blijven staan.

Hij liet haar op het drukke trottoir achter, met haar valies en reistas. Achter haar rug kolkte de drukke menigte die een taal sprak die ze niet beheerste. De gezichten van alle joden ter wereld schenen hier bijeen te zijn. Auto's verstopten de straat. Enkele stopten waar zij stond. Passagiers stapten in en baggage werd ingeladen. Daarna reden ze weer weg. Ze deed moeite, een glimp van Shauls oude Renault op te vangen. De laagstaande felle middagzon prikte in haar vermoeide ogen. Dieseldampen vulden de lucht. Een warme wind blies haar jurk op, en waaide tussen haar benen. Ze rook de zweetlucht die van haar opsteeg en proefde op haar tong de zure smaak van wanhoop. Ze vroeg zichzelf af: Wat doe ik eigenlijk hier? Waarom ben ik hier naartoe gekomen?

* * *

Shaul Hofshi tilde haar bagage op de achterbank; de koffer zat vol met 'familiedingetjes'. Hij reed met zijn auto het vliegveld af en sloeg al meteen verkeerd af. In plaats van de weg naar Jeruzalem te nemen, reden ze nu in de tegenovergestelde richting, naar Tel Aviv.
'Het spijt me vreselijk,' zei Shaul. 'Ik heb al honderd keer die weg genomen, al duizend keer, en ik heb me nog nooit verreden. Wat is er vandaag toch met me aan de hand?' Het zweet parelde op zijn bovenlip, zijn ronde, roze wangen en zijn hoge, kalende voorhoofd. 'We moeten van deze weg af zien te komen.'
I.D. zat naast hem en staarde door het raampje naar de zwarte asfaltweg en de hoge grootbladige palmbomen en het groene oppervlak van de bewerkte velden. Ze deed haar ogen dicht om het voorbijsnellen van de verkeerde weg buiten te sluiten.
Shaul zei: 'Dit is waanzin, dit is absurd.' Hij nam de volgende afrit, reed in gedachten verzonken door rood, en volgde de borden naar Rehovoth, nu in zuidelijke richting in plaats van naar het oosten. I.D. voelde de warme bekleding van de stoel tegen haar rug en achterste terwijl ze de haar onbekende weg verkende. Plotseling zagen ze een richtingwijzer naar Jeruzalem boven de weg. 'We zijn gered! De verlosser is naar

Zion gekomen!' schreeuwde Shaul uitbundig en nam de bocht.

Over de brede, bochtige bergweg reden ze naar de heilige stad.

In het Engels, met zijn prachtige Weense accent, vertelde Shaul over De Toestand. Die was vreselijk, gewoonweg vreselijk. De joden waren niet in de wieg gelegd voor bezetters, bezetten was niet erg populair in de post-moderne westerse beschaving, er zou te zijner tijd de een of andere regeling moeten worden getroffen, gebiedsdelen voor vrede, maar aan de andere kant was er niemand om mee te praten. Wat de conferentie aanging, vandaag was het donderdag, morgen en het weekeinde waren er om uit te rusten en te bekomen van de *jet lag*. Daarna was op zondag een hele dag uitgetrokken voor de voordrachten, in de heilige taal gepresenteerd door schrandere professoren. Op maandag was vroeg in de middag een bezoek voorzien aan het huis van de belangrijke schrijver in Jeruzalem en, later die middag, een officiële ontvangst door de burgemeester van de stad. Op dinsdagavond waren er drie presentaties in het Engels, met als sluitstuk van de conferentie de voordracht van I.D. Chandal, zodat haar woorden de conferentie zouden bekronen en, bijgevolg, de vakgroep van de universiteit het aureool van internationale waardering zouden verlenen. En natuurlijk zou er ook het gebruikelijke spitsroeden lopen tussen fotografen, journalisten, televisiemensen, critici en fanaten zijn.

Zou haar presentatie vooraf klaar zijn? vroeg hij.

Ze dacht het niet, zei ze.

Wat was ze op sjabbat van plan te doen? vroeg hij.

Die zou ze bij een vriend doorbrengen, zei ze.

In Jeruzalem?

Ja.

Na een lange klim werd de weg vlak en reden ze de

stad binnen. Ze lag hoog op haar heuvels, roze op-
gloeiend in de ondergaande zon. Voetgangers bevolk-
ten de trottoirs: mannen en vrouwen in hun alledaagse
kleding, baardige Chassidiem met donkere hoeden en
lange donkere jassen, Arabieren met wapperende kleden en *kafija's*, geüniformeerde soldaten met hun wapens, een bazaar van voortdurend bewegende lijven.
Het verkeer verstopte de straten. Het overheersende
mengsel van dieseluitlaatgassen en woestijnhitte drong
dik haar neusgaten binnen. Maar de stad bejegende
haar met liefde, zachtjes, fluisterend, net als vroeger.
Voor haar ogen dansten visioenen: koningen en wijzen, dichters en wetgevers, legers en veroveringen, eeuwen van bouwen, de ene muur op de andere, rijk versierde torens en minaretten; een stad van miljoenen
verhalen. Ondanks de ruwe en bloedige politieke
koers van het land was Jeruzalem voor eeuwig bevoor-
deeld met een serene, niet-materiële werkelijkheid.
Hoeveel boeken over de folklore van deze stad had ze
niet gelezen? In Jeruzalem maakten mensen abnormale,
onaardse dingen mee. Ze staarde door het open raam
van de Renault. Er lag een dode kat bij de bocht naar
de Herzl Boulevard, vermorzeld door de wielen van
een auto. Ze wilde er liever niet naar kijken.
'Ik zal je direct naar je kamer brengen,' zei Shaul. 'En
ik ga meteen weer weg zodat je kunt rusten. Om acht
uur zal een medewerker van de faculteit Engels je ophalen om in een goed restaurant uit te gaan eten.
Goed?'
'Uitstekend,' zei I.D.

* * *

De kamer was niet groot, het was meer een cel: lichtgroene muren, een donkere tegelvloer en afgesloten ramen. Een bed, een lamp, een bureau. Een piepkleine

badkamer. Niets aan de muur. Ze ging op bed liggen en luisterde naar de airconditioning. Die ratelde en trilde en schakelde met een ploffend geloei in zijn koelstand, en begon even later weer blazend te brullen. Ze had hem af proberen te zetten: de kamer werd een stoof. Als hij aanstond vulde de airconditioning de kamer met het gekletter en gemaal van de ondergrondse in New York. Van stoof en trein verkoos ze trein. Haar hart bonsde, haar ogen deden zeer. Ze bleef roerloos op bed liggen, hongerig, en kon niet in slaap komen, haar zenuwen waren te zeer geprikkeld. Het stof van de reis kleefde nog steeds aan haar, ondanks de douche en haar schone kleren. Die slapeloze uren in het vliegtuig. Ze had de hele nacht een roman zitten lezen van de overleden Israëlische auteur. Tegen het einde van de Eerste Wereldoorlog komt een man met de trein aan voor een kort bezoek aan een verwoeste Oosteuropese stad, en raakt verstrikt in zijn nachtmerries. Lange dichterlijke uitwijdingen, *monologues intérieurs*, met symbolen beladen personen en gebeurtenissen. Zeurderige Chassidiem die op en neer liepen door de gangpaden van het vliegtuig; baldadige tieners in het staartstuk. Soms leken de Chassidiem de roman binnen te stappen; de roman werd het binnenste van het vliegtuig.

Op bed liggend, de handen voor haar ogen, begon I.D. impulsief zinnen te ordenen en te ontleden. Zegswijzen flitsten heen en weer, uitdrukkingen, bijzinnen, zinnen: een platte enallage, een verstikte aposiopesis; een onuitsprekelijke aporie. Dit alles daalde neer, danste heen en weer, gleed door de lucht, werd weer snel rafelig en tuimelde op de afvalhoop van weggeworpen beelden en woorden, die haar huidige leven in een janboel hadden veranderd. Ze had de barokke stijl naar een rococo hoogtepunt gevoerd; de bron leeggedronken. Wat nu? Een asyndeton zeilde haar geest binnen:

Ik wil, sidder, schrijf. Ineenkrimpend voor de stomp-zinnigheid ervan keek ze ernaar en zette het uit haar hoofd. Ze gleed een droombeeld binnen van Virginia Woolf die de zee inliep, haar zakken vol stenen. Het water kwam tot aan haar enkels, haar knieën, haar dij-en; het water drong haar kruis binnen en stroomde over haar borsten; het water klotste tegen haar hals. De airconditioning schokte jammerend in zijn koel-stand. I.D. viel in een onrustige halfslaap.

Precies om acht uur ging de telefoon op het nachtkast-je tweemaal over. Als door de bliksem getroffen ging I.D. rechtovereind op de rand van het bed zitten en wist niet waar ze was. Weer rinkelde de telefoon; een schril geluid in de kleine kamer.

Het was degene van de afdeling Engelse literatuur, een vrouw, die haar kwam ophalen. Of I.D. klaar was om een hapje te gaan eten in een aardig restaurant?

Ze waste haar gezicht in de nauwe badkamer en keek naar zichzelf in de spiegel. Een dik, vaalbleek gezicht, stompe neus, donker omwalde bruine ogen; het ge-zicht van een serveerster, een vakbondsleider, een bus-chauffeur. Ze droogde haar gezicht, deed wat rouge op haar wangen, liep de kamer uit, trok de deur achter zich dicht en draaide de sleutel om.

De vrouw van de vakgroep Engels was ongeveer tien jaar jonger dan I.D., lang en mager, en had ravenzwart haar in een pony op haar smalle voorhoofd. Ze keek I.D. doordringend aan toen ze elkaar in de lobby van de faculteitsclub een hand gaven: haar ogen weerspie-gelden enigszins de afgunst die academici vaak tonen in het bijzijn van een praktizerend kunstenaar. Ze sprak Engels met een duidelijk Zuidafrikaans accent. 'Wat fijn u te ontmoeten. Ik bewonder u al jaren. Uw bun-del verhalen, *Heilig en profaan*, is gewoonweg fantas-tisch.' Haar specialisatie was Amerikaanse literatuur, informeerde ze I.D.; haar proefschrift behandelde de onevenwichtigheden bij William Faulkner. Oxford. I.D. zat op de stoel voorin haar Volkswagen geklemd en luisterde naar haar gepraat toen ze het universiteitsterrein af reden, door rustige straten op weg naar een café buiten de campus in het stadsdeel Rechavja.

Had I.D. gehoord van de linkse dichter die de conferentie voor dichters in Jeruzalem, die hij zelf had georganiseerd, had afgelast? vroeg de vrouw.

I.D. had er niet van gehoord. 'Wanneer was dat?'

'Eén of twee weken geleden.'

Daar had Shaul niets over gezegd. Als uitgekookte Wener wist hij altijd politieke schermutselingen met I.D. Chandal uit de weg te gaan. In bepaalde kringen van de Israëlische intelligentsia werd ze gezien als een fasciste: niets teruggeven; beter ze in de bezette gebieden te bestrijden dan voor je voordeur, was haar standpunt. 'Waarom heeft hij het afgelast?'

'Hij zei dat dit een immorele staat was, onwaardig om dichters te ontvangen.'

'Welke dichter was dat?' vroeg I.D. even later.

De vrouw noemt I.D. een haar onbekende naam. 'Een groot dichter. Maar politiek gezien een kind.'

In het café zitten ze achter hun verlate maaltijd. I.D. ademt diep de avondlucht in waarin ze nog steeds vaag de woestijngeuren van overdag herkent. Vlakbij woont de premier, politie houdt buiten de wacht. Wat zou hij van deze tijd vinden, wanneer hij de slaap probeert te vatten?

'Ik woon hier nu al zeventien jaar,' zegt de vrouw. 'En voor de eerste keer ben ik bang.'

'Bang? Waarvoor?'

'Voor een bloedbad. Als ze geen stenen meer gooien, maar naar de wapens grijpen.'

'Wordt dan niet meteen het leger erop afgestuurd om dat de kop in te drukken?'

'Dat is precies wat ik bedoel,' zegt de vrouw. 'Een bloedbad. Aan beide zijden.'

Een tijdlang aten ze zwijgend verder.

'Toen het pas was begonnen,' zei de vrouw, 'durfden de mensen uit Tel Aviv niet naar Jeruzalem te gaan. Ze dachten dat het stenen regende in Jeruzalem.'

'Hoe kan een stad nog rustiger zijn dan nu?'

'Minder dan een kilometer of twee hiervandaan wordt met stenen gegooid.'

Even krijgt een vage angst de overhand, alsof haar hart een slag overslaat. Ze kijkt de nachtelijke straat zonder verkeer of voetgangers in. 'Oh, ja?'

'Ik droomde vaker dat ze 's nachts mijn huis zouden binnendringen. De nachtmerries van Amos Oz. Onzinnige fantasieën. U weet wel wat ik bedoel. Sex en zo. Ach, u weet wel.'

'Hoe lang denkt u dat het nog zal duren?'

De vrouw haalde haar schouders op. 'Beide partijen zijn politiek verlamd. Niemand heeft een nieuw idee. Hoe lang het nog zal doorgaan? Wie zal het zeggen!' Ze kauwt bedachtzaam op een stuk brood, slikt het door en richt weer stralend het woord tot I.D. 'Genoeg over de politiek. Zullen we het eens over vrolijke dingen hebben? Waar werkt u de laatste tijd zoal aan?'

* * *

Toen ze later die avond op de stoep voor de brede stenen trap van de faculteitsclub was afgezet, bleef I.D. de zich verwijderende achterlichten van de Volkswagen nakijken. Als de binnenzijde van een reusachtige bol staat de zwarte, met juwelen bezette hemel boven de heuvels en dalen van de stad. De universiteitsgebouwen, verspreid over het dal, liggen er donker en stil bij. In de verte blaft een hond en bij de plek waar ze staat, hoort ze heel even iets snel weglopen; katten lopen rusteloos heen en weer tussen de bosjes en de stenen. I.D. rilt in de avondlucht, waarin de geuren van de woestijn nog steeds enigszins zijn te bespeuren. Haar ogen zijn zwaar; aan haar slapen begint het bloed ineens te kloppen; in haar oren hoort ze kort een suizend geluid. Ze kent de symptomen: vermoeidheid, spanning, verwarring. Terug naar haar kamer en de kletterende zwarte doos van de airconditioning. Smal bed. Piepklein, nauw bureau. Schemerlicht. Hoe laat zou het nu in New York zijn? Drie uur 's middags?

Ze ging de zwak verlichte lobby van de faculteitsclub binnen, liep de smalle hal door, en betrad haar kamer. Het was er warm en verstikkend: droge vingers die plotseling haar keel en neusgaten binnendrongen deden haar naar adem snakken. Snel liep ze naar het raam, zette de airconditioning aan, en deinsde terug toen de machine tot leven kwam en warme lucht naar haar toe blies.

Ze ging op bed zitten, toen aan het bureautje, liep vervolgens naar de badkamer en weer terug naar haar bed. De lucht in de kamer koelde snel af en werd vochtig, maar ze voelde dat ze werd omringd door een wolk van hete lucht die door de muren dreigde te komen. Ze trok haar jurk uit en ging op bed liggen. Ze kwam overeind, deed haar beha en haar panties uit en ging weer liggen. Onder haar voelde de katoenen sprei al snel warm en ruw aan. Ze sloeg hem terug en rolde de deken naar het voeteneinde. Haar hangende, platte, bleke borsten dansten op en neer als ze zich bewoog: uitgedroogde aanhangsels van haar ouder wordende lichaam, droog als de woestijn, droog als steen, droog als haar schrijven. Ze kreeg het vreemde gevoel dat ze een pudding was, een ongewervelde. Ze ging weer achterover op het bed liggen, bovenop het laken, haar armen op haar ogen, met opgetrokken knieën. De hitte wasemde van haar lijf, haar keel trilde. De airconditioning schakelde met een zware plof op koelen; de kamermuren vibreerden. Haar opgetrokken knieën waren vreemde bleekroze heuvels op het witte laken, de heuvel waar de benen bijeen kwamen nu zichtbaar, krullend en dicht behaard, met nog steeds dezelfde bruine kleur als toen ze jong was. Ze raakte zichzelf zachtjes aan, bevoelde met haar vingers de vochtige verhoging, wat haar een tijdlang volledig in beslag nam. Hierna bleef ze loom liggen, het waas van zweet wonderlijk koel op haar gezicht en voorhoofd. Met haar ogen dicht herinnerde ze zich de heuvels van Daphne, bij Antiochië in het zuiden van Turkije, die ze ooit met haar echtgenoot had beklommen: watervallen die van de stenen wanden klaterden en over de rotsige bodem stroomden. Groene struiken, weelderige bomen, een koele bries die als een zijden voile over de heuvel blies, de bladeren beroerde. Het was eenvoudig om je voor te stellen hoe Daphne daar in de oudheid werd vereerd; eenvoudig om je de nymphen en najaden en dryaden die daar hadden rondgedarteld voor de geest te halen. Goede stenen, zachte stenen, stenen die nat zijn van sprankelende beken en stenen die glinsterden in het zonlicht dat door de bladeren valt.

* * *

I.D. leest, soest weg, wordt weer wakker en leest verder. Ze loopt naar de badkamer, plast en gaat naakt voor de spiegel boven de wasbak staan. Wat een los vel, wat een trieste lelijkerd stond haar daar aan te kijken! *Wie is zij?* De airconditioning ploft in koelstand, zij steunt tegen de wasbak, en schrikt van het koude contact van het porselein met haar koortsige huid. I.D. Chandal. Ja. *Waar?* Jeruzalem. Juist, ja. Stad van - van wat? Van stenen die op zacht vlees regenen. Knuppels

die jonge huid ranselen. Beelden van opgezwollen olijf-
kleurige jongeren die zich in de schaduwen aan de andere zijde van haar raam ophielden. Ze is nog geen dag
in dit land en voelt zich al drieduizend jaar oud.
Ze keert terug naar haar bed, gaat naakt op het laken
liggen en pakt het boek met verhalen van de grote
schrijver. Ze probeert te lezen en is al ras onder zeil.
Gezichten verschijnen voor haar, afgetobd en diep ge-
groefd, tot leer verhard door een beukende zon. Kleine, pastelkleurige huizen, door de zon gebleekte straten, en vlak daarbij de enorme uitgestrektheid van een
rijzende en weer dalende zee. Als door de muur
springt plotseling een hond de kamer binnen, enorm,
zwart en vreselijk; hij kijkt haar met zijn roodomran-
de ogen aan, zijn adem is heet - dan keert hij om en
rent met grote sprongen weg. In doodsangst blijft ze
liggen slapen. Ergens aan de rand van de kamer wacht
de gestalte van een kleine, gezette man met een gleufhoed, vaag zichtbaar in de hitte bij de muren. I.D.
wordt wakker, huivert, trekt de deken over zich heen
en gaat weer lezen.
Het is bijna vier uur in de ochtend, plaatselijke tijd.
Weldra zal ze weer in slaap vallen en dan lang uitsla-
pen, waarschijnlijk tot in de middag. Dan gaat ze eten
en later een tas inpakken, een taxi bellen en naar haar
kennis toegaan om de sjabbat mee door te brengen.
Dan eten ze samen in de flat van haar kennis een lek-
ker diner en zitten nog wat te praten of gaan naar een
feestje. Haar kennis werkt op het ministerie van bin-
nenlandse zaken, zodat ze door haar op de hoogte gebracht zal worden van het laatste nieuws over de opstand. Wacht eens eventjes, *wacht eens*: Heeft ze haar
vriendin al gebeld om haar te laten weten dat ze de
sjabbat naar haar toe zal komen? *Natuurlijk* heeft ze
haar gebeld. *Haar?* Wacht eens even: Was haar vriend
niet een *man*? Wat vreemd dat ze zich dat niet kan

herinneren. Tijd genoeg om te bellen als ze opstaat. Ja, weldra slaapt ze weer. Maar na een tijd ligt ze nog steeds wakker. Ze reikt naar de lamp en zet hem op de nachtstand. Roerloos blijft ze in het duister liggen luisteren naar de airconditioning en wacht op het moment dat ze in slaap zal vallen.

* * *

Ze slaapt tot één uur 's middags. Het kamermeisje dat op haar deur klopt maakt haar wakker. Ze eet iets in het tuinrestaurant, gaat weer aan tafel zitten en leest de verhalen van de grote schrijver. Hoe kan ze vat op hem krijgen? Modernist, mediaevist; ongrijpbaar. 'Verbloemd, ongrijpbaar, begoochelend,' mompelt ze. Hij schijnt nergens ondergebracht te kunnen worden, in geen enkele gevestigde cultuur. Werkelijke ambiguïteit. Onechte ambiguïteit is humbuguïteit. Ze heeft nog steeds honger en loopt naar binnen, naar de toonbank, voor nog een sandwich en een kopje koffie. Honger en ambiguïteit is abstiguïteit: uitgehongerd door onbeantwoorde vragen. Ze leest maar door, en wanneer ze weer op haar horloge kijkt, verbaast ze zich erover dat het al zo laat is. Ze keert terug naar haar kamer, pakt gehaast haar tas in, neemt de verhalenbundel van de grote schrijver ook mee en belt een taxi.
In de gang draait ze de sleutel tweemaal om en probeert de deurklink. Haar kamerdeur is veilig afgesloten.
Ze loopt de gang door, naar de vestibule en de voordeur. Door een boograam dat uitzicht biedt op de binnentuin valt het licht van de middagzon.
Ze drukt de metalen klink van de brede voordeur omlaag en trekt. De deur gaat niet open. Ze draait de knop aan het slot om en trekt opnieuw aan de deur. Hij blijft dicht.

Op de vrouwelijke conciërge na is ze nu alleen in het gebouw van de faculteitsclub. Alle anderen zijn weg voor de sjabbat. Hoe kan zij nu opgesloten zijn in het gebouw?

Voor de gesloten deur staand met haar weekendtas in haar hand, luistert ze even naar de stilte in het gebouw en denkt: 'Straks komt de taxi en sta ik niet buiten, en dan rijdt de chauffeur weer weg.'

Ze loopt naar de telefoon op de receptiebalie, zet haar tas neer en kiest 22.

Over de lijn hoort ze geen telefoon overgaan. Ze hangt op en kiest opnieuw. En dan nog een keer. Geen geluid, geen antwoord.

Ze legt de hoorn op de haak, pakt haar tas op en loopt naar haar kamer. Een nevelig gordijn hangt nu tussen haar en de wereld en ze heeft wat moeite met het openen van haar deur. De airconditioning is uit en het is warm in de kamer. Het stinkt er een beetje. Ze gaat op de rand van het bed zitten, kiest 22 en hoort de telefoon twee keer overgaan.

Een vrouw antwoordt. I.D. zegt dat dit kamer 6 is, dat de deur van het gebouw niet opengaat. Na een korte stilte zegt de vrouw dat ze het niet begrijpt; welke deur gaat niet open. I.D. zegt de voordeur, hij zit vast of het slot is stuk, hij gaat niet open en de taxi zal weer wegrijden als ze niet buiten klaarstaat als hij arriveert. De vrouw zegt dat ze onmiddellijk zal komen, en hangt op.

I.D. legt de telefoon neer, gaat de badkamer binnen en wast haar handen en haar gezicht. Ze sluit de kamerdeur, en loopt met haar tas de gang door en de trap af.

* * *

De vrouw staat in een gele badjas en op slippers voor

de toegangsdeur. Ze houdt haar jas met de worstvingers van haar linkerhande onder haar keel dicht.

I.D. zegt: 'Het spijt me dat ik u heb gestoord op een middag als deze.'

De vrouw zegt: 'Geeft niet, u hebt me niet gestoord, wat zei u dat er aan de hand was?'

I.D. zegt: 'De deur gaat niet open, de taxi kan er elk ogenblik zijn en de chauffeur wacht vast niet op me.'

'Maar hier zit het slot,' zegt de vrouw.

'Ik heb het slot geprobeerd,' legt I.D. uit.

'U hebt het omgedraaid?'

'Ja. Maar de deur ging niet open.'

De vrouw buigt zich voorover, draait aan de ronde metalen knop van het slot en duwt zachtjes met haar rechterarm tegen de deur.

I.D. ziet hoe de deur openzwaait.

Een woestijnwind blaast de muskusachtige geur van bloemen en struiken de hal in. I.D. hoort zichzelf: 'Dank u wel' zeggen en kijkt de vrouw niet in de ogen.

De vrouw zegt: 'Moge u een dag van volmaakte rust hebben,' en verdwijnt.

Met haar weekendtas in de hand stapt I.D. naar buiten. Achter haar valt de deur met een zachte klik in het slot.

Bovenaan de trap aan de voorzijde van het gebouw blijft ze staan. Een enorme zon staat boven de zinderende stenen heuvels, effent de verte en etst duidelijk de rechthoekige contouren van de huizen, de getrapte hellingen van de velden tegen de heuvels, het groen van de veraf gelegen naaldbomen. Ze ademt diep de warme geuren van de grond in, voelt de pijn in haar slapen en de vochtigheid tussen haar benen. Hoe kon ze vergeten dat de voordeur naar buiten opendraaide? Hoe kan iemand zoiets vergeten? Het was duidelijk dat ze niet helemaal in orde was. Een zomergriep? Iets veel ergers? Wat dan? Ze gaat op de bank van grijze steen, bij de trap, zitten.

De bank staat in de schaduw. Ze heeft haar zonnebril op, maar desondanks doet de gloed van het zonlicht op het asfalt van de weg pijn aan haar ogen. Ze hoort een auto en ziet hoe een kleine rode Renault de straat indraait en voorbij de faculteitsclub rijdt. Het onplezierige gevoel van een opkomende ziekte bekruipt haar. Ze houdt een hand tegen haar voorhoofd; als ze hem weghaalt is hij nat.

Ze denkt erover, terug naar binnen te gaan en het taxibedrijf nogmaals te bellen. Maar rond deze tijd van de week was het nummer steeds in gesprek, en ze zou het een aantal malen moeten proberen voordat ze gehoor zou krijgen. En als de taxi zou komen, terwijl zij binnen stond te bellen, en de chauffeur zag dat ze er niet stond, dan zou hij weer wegrijden.

Ze loopt naar de stoeprand en kijkt naar links en naar rechts de straat in. Zo in het zonlicht voelt ze meteen hoe de zon op haar gezicht brandt. Ze loopt terug naar de bank en neemt weer plaats.

Ze wacht voor haar gevoel een hele tijd. Terwijl ze wacht, voelt ze overal om haar heen - in de geelbruine heuvels en de uitgestorven straten, de verlaten stenen universiteitsgebouwen en de hoge cypressen, de schaduwbomen - voelt ze een stilte als een verwachting, een gespannen weifelen op de drempel van verlangen. Ze kijkt weer op haar horloge.

Een oude Mercedes draait de straat in en splijt de stilte tweemaal met zijn claxon. I.D. pakt vlug haar tas op en stapt het zonlicht in.

* * *

Snel rijdt de taxi door de poort van de campus, de Rupinstraat in. I.D. staart door de achterruit naar de weg

151

en bedenkt zich ineens dat ze misschien niet meer precies het juiste adres weet van de persoon bij wie ze gaat overnachten. Het adres staat in haar agenda, die in de grote koffer op haar kamer zit. Voordat ze wegging, had ze het nog eens moeten opzoeken. Ze vraagt zichzelf af: 'Wat is er met me aan de hand? Eerst die onzin met de deur, en nu weer het adres. Stel je voor dat ik de chauffeur het verkeerde adres geef, hij me daar afzet en vervolgens wegrijdt. Ik heb niet eens geld voor een andere taxi.'

Door de zijruiten van de taxi tuurt ze naar de hete, uitgestorven straten. Een late vrijdagmiddag in Jeruzalem: overal stille zandkleurige stenen huizen, de weinige auto's op straat bijna allemaal taxi's. Lange harde schaduwen op de straten, met donkerpaarse, blauwe en zwartachtig rode tinten geschakeerd. Als de taxi een hoek om gaat, komt de kant waar I.D. zit pal in de zon. Ze sluit haar ogen voor de plotseling doordringende explosie van die vlammende gloed.

* * *

De taxi draait de boulevard af en rijdt een buurt in met smalle heuvelige straten en lage zandkleurige stenen huizen.

De chauffeur kijkt even in zijn achteruitkijkspiegel naar I.D. en zegt: 'Wat was het adres ook al weer?'

I.D. aarzelt, probeert zich te herinneren hoe ze het in haar agenda heeft opgeschreven.

'Hallo,' zegt de chauffeur. 'Mevrouw. Het adres.'

Ze herhaalt de straat en het huisnummer. Verwarde ze het nummer met dat van het huis waar ze vijfentwintig jaar eerder, voordat de stad was herenigd, kort had gelogeerd? Hoe rustig was de stad toen geweest!

'Ik geloof dat dat hier in de buurt is,' zegt de chauffeur. En dan: 'U bent al lang in Jeruzalem?'

'Twee dagen.'

'U treft heel warm weer.'

'Hoe gaat dit raam omlaag?'

'Het spijt me. Kinderen hebben er de greep afge-schroefd. Ze hebben niks om handen, en gaan daar-door nogal tekeer.' Even kijkt hij in zijn achteruitkijk-spiegel naar haar. 'En wat vindt u ervan?'

'Waarvan?'

'De Toestand.'

'Ik ben geen expert.'

'Wat dat betreft is niemand een expert. Zelfs de rege-ring niet. U komt uit Amerika.'

'Ja.'

'Ik wilde naar Amerika. Maar mijn vrouw zegt: "Ame-rika is niets voor ons. Een gekke plaats. Drugs en moorden." Ik zeg haar: "Je kijkt teveel naar Ameri-kaanse films. En hoe het ook zij, in Amerika drugs en moorden, hier stenen en moorden. Als ik genoeg geld heb ga ik naar Amerika." Zij zegt dat zij niet wil. Ik zeg dat ik ga als ik genoeg geld heb; als zij hier wil blijven, dan blijft ze maar hier. Ik ben alsmaar oorlog en stenen en bommen zat. Ik wil iets anders.' Hij recht zijn nek, kijkt naar de huizen aan de rechterzijde van de straat. 'Dit is de goede straat. Wat was het nummer ook al weer?'

Ze zegt het hem.

'Oh, dan zijn we er al voorbij,' zegt de chauffeur en remt plotseling, waardoor zij naar voren schiet. Hij schakelt in zijn achteruit, rijdt zo bijna het hele blok terug, en stopt. 'Hier moet het zijn.'

I.D. betaalt de chauffeur, stapt omzichtig uit de taxi en reikt naar haar tas in de auto. De taxi trekt op en rijdt snel een hoek om.

In haar eentje staat I.D. in een uitgestorven straat.

* * *

153

Ze zoekt nummer 7. Ze vindt nummer 5. Ze pakt haar tas en loopt de straat in. Het huis naast nummer 5 is nummer 9.

Ze loopt terug naar nummer 5. Het is een drie verdiepingen tellend huis met balkons aan de voorzijde en een brede houten voordeur. Tussen de vuilnisvaten scharrelen katten.

De zon baadt deze kant van de straat in een verblindend licht en een verzengende hitte. Met dichtgeknepen ogen kijkt ze naar het cijfer 5 op het witmetalen plaatje boven de voordeur. Dan loopt ze weer verder de straat in. Het aanpalende huis heeft vier verdiepingen, brede stenen balkons en een afgesloten poort met daarboven een nummerbordje met daarop een 9.

Ze zet haar tas neer, houdt haar rechterhand boven haar ogen en tuurt links en rechts de straat af.

Niemand zit op de balkons. Aan de overkant van de straat sukkelt een hond voorbij en verdwijnt in de schaduwen tussen twee huizen. Ze zal ergens moeten aanbellen om te vragen waar nummer 7 is. De mensen staan onder de douche of zijn zich aan het kleden, of doen een dutje of lezen hun weekendkrant. Bel aan en vraag waar het is. Maar als het vlak voor je neus is, voel je je weer als toen de vrouw in het faculteitsgebouw zachtjes tegen de voordeur duwde.

De zon steekt in haar ogen. De hitte doet de stoep zinderen. Aan de azuurblauwe hemel is geen wolk te bekennen. De lucht is gewassen in een zachtgele nevel. Tweemaal loopt ze op en neer tussen nummer 5 en nummer 9. Dan blijft ze in de zon naast haar weekendtas staan. Achter haar gloeit de zon bloedrood boven de einder met de verre heuvels.

Even doet ze de ogen dicht. Als ze ze weer open doet, merkt ze een man op die vanaf het laaggelegen eind de straat in komt lopen. Naast hem loopt een middelgrote, kortharige hond, lichtbruin van kleur en van een onbestemd ras, het soort honden dat in het wild door de woestijn zwerft en in de vroege ochtenduren in groepen tussen het vuilnis in de stille straten van de stad zoekt.

* * *

De man met de hond komt dichterbij en loopt haar bijna voorbij alsof ze er niet is.

I.D. zegt tegen de man: 'Neemt u mij niet kwalijk. Bent u toevallig bekend in deze buurt?'

De man blijft staan en kijkt haar aan. Hij lijkt enigszins verbaasd dat hij wordt aangesproken. De hond blijft stilstaan en gromt.

'Stil,' zegt de man zachtjes tegen de hond, die meteen gehoorzaamt. Dan zegt hij tegen I.D.: 'Ja hoor, ik ken deze buurt heel goed.'

'Waar is nummer 7?'

'Nummer - ?'

'Nummer 7.'

'Oh, nummer 7. Welk nummer 7 zoekt u?' vraagt de man.

De zon schijnt hem pal in het gezicht. Hij lijkt achter in de zestig of begin zeventig, heeft een rond, zacht hoogrood gezicht, een grote haakneus, scherpe blauwe ogen en een kleine rechte mond waarvan de hoeken een beetje omlaag staan. Hij draagt een grijs lichtgewicht pak, een lichtgrijze stropdas op een wit overhemd en een donkergrijze zomerhoed met brede rand.

'Ik begrijp u niet,' zegt I.D.

'Welk nummer 7 zoekt u precies?' vraagt de man. Zijn zachte stem verraadt een vleugje geamuseerde superioriteit. De hond komt overeind en begint te snuffelen. De man zegt: 'Gedraag je en laat de dame met rust. Kom hier en ga zitten. Zit. Mooi zo.' Dan zegt

hij met een vage glimlach tegen I.D.: 'Waar komt u vandaan, als ik vragen mag?'
'Uit New York.'
'Oh.'
'New York stad.'
'Oh.'
'Manhattan.'
'Hebt u een gezin?'
'Een man. Een zoon. En een ziekelijke moeder.'
'Wat doet uw man?'
Ze vertelt hem wat haar man doet.
'En uw zoon?'
'Mijn zoon zit op *Harvard*. Hij studeert nog.'
'En waarvoor bent u in Jeruzalem?'
Ze vertelt hem waarvoor zij in Jeruzalem is. Hij luistert aandachtig en knikt.
'Kent u Hebreeuws?' vraagt hij tenslotte.
Ze schudt haar hoofd.
'U gaat iets over deze auteur schrijven zonder het Hebreeuws machtig te zijn?'
'Nou, ik heb ook over Flaubert geschreven, hoewel mijn Frans niet zo best is. En ik heb over Primo Levi geschreven, zonder Italiaans te kunnen lezen of schrijven.'
'Ik heb begrepen dat Joyce Noors ging studeren, om Ibsen te kunnen lezen.'
'Joyce was - Joyce.'
'Wordt wat u schrijft ook gelezen?'
'Er zijn mensen die erin zijn geïnteresseerd.'
'Over Amerika blijf je je verbazen.'
'Het is al laat. Mag ik u nogmaals vragen waar het huis met nummer 7 is?'
'Het is een probleem, dat nummer 7. Ik moet daar een oplossing voor zoeken, ziet u.'
'Dat begrijp ik niet.'
'Er zijn zo veel zevens. Ik moet dat zien op te lossen.'

'Zo veel zevens?'

'Heel veel, ja.'

'Het spijt me, maar ik begrijp er niets van.'

'Nou, je hebt de zeven dagen van de schepping en de zeven feestdagen en de zeven hemelen en de zeven verhalen die ik ooit heb gemaakt zonder hun betekenis te zien, totdat me die door anderen werd verklaard. En de zeven tenhemelopnemingen naar de Heilige Aanwezigheid. En de zeven werkuren die ik aan mijn stalletje doorbreng en die ik wijd aan de Heer, gezegend is zijn Naam. En dan zijn er de zeven lieden die ik tot mijn beste vrienden reken en de zeven met wie ik ruzie heb. De zeven die ik heb gelezen toen ik jong was, onder wie Hamsun, Dostojevski en Balzac, en de zeven die ik las toen ik ouder was, zoals Kafka, Freud en Hesse. En de zeven vreugdevolle lofzeggingen en de zeven verzen van rouw en de zeven jaren die u hebt gewerkt aan uw eerste grote succes en de zeven maanden die u hebt gewerkt aan uw eerste grote mislukking. En de zeven maanden die De Toestand tot nu toe duurt en de zeven bossen die in brand staan en het zevende uur van deze dag, wanneer de zon ondergaat, en het zevende jaar van het leven van Balak, die hier met een ongehoord geduld naast me zit. En u zoekt de zeven van het adres. De zeven van het adres is iets ergens tussenin, en u kunt hem alleen maar vinden als u heel zorgvuldig zoekt. Het is niet de ene, of de andere, het is *tussen* de twee in. U moet er intens naar *zoeken*. Maar kom, ik moet nu gaan. U hebt gelijk, het is al laat. Kom, Balak.'

Onbegrijpend staart I.D. hem aan. Een auto rijdt de straat in. I.D. vraagt zich af of ze de chauffeur zal wenken en hem naar het adres vragen. De auto rijdt voorbij. Ze kijkt de straat af en ziet hoe de man met de hond een hoek omgaat en verdwijnt.

Weer staat ze in haar eentje op straat.

Zorgvuldig laat ze haar blik heen en weer gaan over de stenen en de struiken tussen nummer 5 en nummer 9. Dan ziet ze de trap.

Hij staat achter een dicht bos verbena's, waarvan de bladeren over de metalen trapleuning hangen. Je kon hem vanaf de straat niet zien behalve als je wist dat hij er was, of er zó voorstond, dat je een glimp van de stenen treden door de wirwar van takken en bladeren kon zien.

Ze pakt haar tas en begint de trap op te lopen. De bladeren vormen een koel dak met eronder een groene schaduw. Ze komt boven aan op een bordes en neemt het modderige paadje dat voor het huis, voor een keuken en een slaapkamer langsloopt. Ze loopt onder weelderige bladerkronen naar nog meer treden en weer een bordes. Op dit bordes kijkt ze naar het westen, waar de zon nu de heuvels raakt: een enorme rode bol, de lucht eromheen wit en roserood, het licht enigszins verduisterd door het stof en de rook van een brand in de verte.

Op het bovenste bordes blijft ze voor een deur staan. Op de deur is een witte aardewerken tegel bevestigd met daarop, in helder rood, het cijfer 7.

Ze belt aan en hoort een zacht deuntje aan de andere kant van de deur: drie tonen. Ze blijft op het bordes staan wachten. Stilte en de geur van ontelbaar veel bloemen vullen de warme, windstille lucht.

De knop wordt omgedraaid en de deur zwaait naar binnen toe open. Met haar tas in de hand stapt I.D. naar binnen.

De oudere man begroet haar met een hartelijke glimlach. Hij heeft zijn hoed afgezet en in plaats daarvan draagt hij nu een donker, rond fluwelen keppeltje. De hond ligt op het vloerkleed in de hal, wakker en waakzaam maar doodstil.

'Is dit het adres dat u zoekt?' vraagt de man.

Bronvermelding

Culturele confrontaties in Amerikaanse steden: de bron van mijn schrijverschap
Oorspr.: 'Culture Confrontation in Urban America: A Writer's Beginnings.' In: Jaye, Michael C. & Anne Chalmers (ed.), *Literature and the American Urban Experience*. New Brunswick, N.J.: Rutgers University Press, 1981, blz. 161-167 (Vertaling: Peter Sollet)

Bespiegelingen over een straat in de Bronx
Oorspr.: 'Reflexions on a Bronx Street.' In: *The Reconstructionist*, October 1964, blz. 13-20 (Vertaling: Peter Sollet)

De katten van Alfasistraat 37
Oorspr.: 'Cats of 37 Alfasi Street.' In: *American Judaism*, Vol. XVI, No. 1, Fall 1966, blz. 12-29 (Vertaling: Peter Sollet)

De donkere plek
Oorspr.: 'The Dark Place Inside.' In: *Dimensions*, Fall 1967, blz 35-39 (Vertaling: Jeanette Bos)

De twee soldaten
Oorspr.: 'A Tale of Two Soldiers.' In: *Ladies' Home Journal*, December 1981, blz. 16-19 (Vertaling: Peter Sollet)

De talenten van Andrea
Oorspr.: 'The Gifts of Andrea.' In: *Seventeen*, October 1982, blz. 152 e.v. (Vertaling: Jeanette Bos)

Op afstand
Oorspr.: 'Long Distance.' In: *The American Voice*, Nr. 4, Fall 1986, blz. 3-16 (Vertaling: Jeanette Bos)

Schimmen
Oorspr.: 'Ghosts.' In: *Orim. A Jewish Journal at Yale*, Vol. II, No. 2, Spring 1987, blz. 37-48 (Vertaling: Peter Sollet)

Het cijfer zeven
Oorspr.: 'The Seven of the Adress.' (december 1989) – ongepubliceerd (Vertaling: Peter Sollet)

Chronologisch overzicht van verschenen werken van Chaim Potok (met tussen haakjes het jaar van verschijnen van de Nederlandse vertaling):

Uitverkoren, 1967 (1984)

De belofte, 1969 (1987)

Mijn naam is Asjer Lev, 1972 (1985)

In den beginne, 1975 (1987)

Omzwervingen, 1978 (1989)

Het boek van het licht, 1981 (1987)

Davita's harp, 1985 (1986)

Het geschenk van Asjer Lev, april 1990 (april 1990)